La cuisine de ma cuisinière

Edi Loire Reprints

Directeur de publication
Jacques Koehl

Edi Loire
49 Rue Parmentier
42100 Saint-Etienne

Dépôt légal septembre 1997

I.S.B.N. 2-84084-061-8

Remerciements à Madeleine BLANC
pour le prêt de l'ouvrage

Achevé d'imprimer sur rotative par l'imprimerie Darantiere à Dijon-Quetigny en juillet 1997
Dépôt légal : 3e trimestre 1997 - N° d'impression : 97-0545

Division de l'Ouvrage
par Ordre Alphabétique

I

BOISSONS ET LIQUEURS

CAFÉ GLACÉ

Lait : 3/4 de litre.
Café en grains : 60 grammes.
Sucre : 150 grammes.
Essence de café : 7 gr.5.

Le café glacé peut se faire de deux manières, dont voici l'une : dans une casserole de porcelaine, mettez 3/4 de litre de lait, ceci sur le feu, et, au moment où l'ébullition va se produire, faites-y infuser 60 grammes de café en grains et 150 grammes de sucre. Lorsque le tout est refroidi, passez cette composition au tamis de soie, colorez avec un peu d'essence de café et mettez en sorbetière. De temps à autre, détachez de la sorbetière les parties prises, sans les remuer, et servez dans des tasses ou des coupes.

CERISES A L'EAU-DE-VIE

Choisir des cerises à courte queue, non tachées. Couper la queue à quelques millimètres du fruit. Mettre les cerises dans un bocal à large encolure et les recouvrir d'eau-de-vie blanche à 45°. Boucher le bocal et le laisser autant que possible au soleil en le tournant de temps en temps. Laisser infuser les cerises pendant deux mois à deux mois et demi. Au bout de cette période d'infusion, remplir le bocal par du sucre cristallisé, ou, de préférence, du sucre candi, à raison de 300 grammes par litre d'alcool. Reboucher le bocal avec soin. Les cerises pourront être servies deux ou trois mois après.

CITRONNADE

2 citrons, leur jus et leur zeste.
1 citron en rouelles.
Eau filtrée : 3/4 de litre.
1 siphon d'eau de Seltz.
Chalumeaux.
Sucre : 200 grammes.

Se servir d'un récipient de 2 litres environ. Y faire fondre, dans 3/4 de litre d'eau filtrée, 200 grammes de sucre en pain ou en morceaux. Y ajouter le jus de 2 citrons et leur zeste finement râpé. Couvrir et laisser infuser environ pendant trois heures dans un endroit frais. Passer ensuite au tamis extrêmement fin ou au travers d'une fine mousseline, au-dessus d'un grand bol. Compléter cette boisson en y ajoutant le contenu d'un siphon d'eau de Seltz. Servir aussitôt en ajoutant dans chaque verre, une mince rondelle de citron et un chalumeau.

GROG

Eau bouillante : 3/4 de litre.
Thé : 20 grammes.
Sucre : 200 grammes.
Rhum : 40 centilitres.
Citron en tranches.

Mettre 20 grammes de thé de Chine dans une petite terrine. Y jeter un litre d'eau bouillante. Laisser infuser cinq minutes, puis passer au tamis. Mettre dans une casserole de porcelaine, allant au feu, 200 grammes de sucre, l'infusion de thé et faire fondre à feux doux. Aussitôt que le sucre est fondu, ajouter 40 centilitres de rhum. Continuer de faire chauffer toujours à feu doux jusqu'à ce que le liquide blanchisse, celui-ci ne doit pas bouillir. Retirer sur le côté du feu, servir dans des verres à porto, sur une mince tranche de citron.

LIQUEUR DE MANDARINE

Alcool à 90° : 3/4 de litre.
Eau distillée : 3/4 de litre.
Ecorces de 8 mandarines.
Sucre : 400 grammes.
Eau ordinaire : 1 verre.

Faire macérer les épluchures de 8 mandarines très parfumées dans 3/4 de litre d'alcool à 90° pendant au moins deux mois, dans un grand bocal de verre hermétiquement bouché et exposé au grand jour. Lorsqu'au bout de plusieurs mois, l'alcool aura pris une teinte jaune foncé, mettre au-dessus d'un autre grand bocal de 2 litres environ un entonnoir de verre, puis un second entonnoir de papier filtre et filtrer l'alcool parfumé auquel on ajoutera 3/4 de litre d'eau distillée. Mettre ensuite sur le feu, dans une grande casserole de porcelaine ou d'aluminium, un verre d'eau et 400 grammes de sucre. Ceci, fondu, devra être mené à ébullition. Cette ébullition durera cinq minutes, puis, sur le côté du feu et à l'abri de la flamme, verser très lentement dans le sirop de sucre l'alcool de mandarine. Lorsque le mélange sera bien opéré, filtrer à nouveau au-dessus de chaque bouteille qui contiendra une excellente liqueur de ménage. Boucher après complet refroidissement.

ORANGEADE

Sirop de sucre : 1/5 de litre.
1 citron.
3 oranges.
Le zeste d'une orange.
Eau nécessaire pour compléter.
Glace.
Chalumeaux.

Exprimer le jus de 3 oranges et le jus d'un citron. Mettre le tout dans une grande terrine de porcelaine. Y ajouter 1/5 de litre de sirop de sucre et tout le zeste d'une orange entière. Enfin, mettre sur le tout la quantité d'eau nécessaire pour compléter un litre. Filtrer cette boisson au-dessus d'une cruche laquelle sera placée dans un seau contenant de l'eau et de la glace pilée sans sel. Servir dans des gobelets, avec un chalumeau.

PUNCH

Thé : 30 grammes.
Eau bouillante : 3/4 de litre.
Rhum : 3/4 de litre.
Le zeste d'un citron.
Sucre : 300 grammes.

Mettre le zeste d'un citron dans une grande terrine de porcelaine, y ajouter 30 grammes de thé et verser sur le tout 3/4 de litre d'eau bouillante. Couvrir durant cinq minutes, puis passer l'infusion au travers d'un tamis très fin, au-dessus d'un grand saladier d'argent dans lequel on aura mis 300 grammes de sucre. Ajouter à ceci 3/4 de litre de rhum et faire flamber à même le saladier. Mélanger le tout au moyen d'une louche d'argent à long manche. Lorsque la flamme s'éteint, le punch est fait ; servir très chaud dans de petits verres de cristal, ou, de préférence, dans des petites coupes de la contenance d'un verre à madère.

VIN CHAUD

Vin rouge de Bordeaux : 3/4 de bouteille.
Sucre : 100 grammes.
Eau bouillante : 3/4 de verre.
Cannelle.
Thé : 8 grammes.
Citron en tranches.
1 clou 1/2 de girofle.

Mettre le contenu de 3/4 d'une bouteille de vin de Bordeaux rouge dans une casserole de porcelaine à feu. Y ajouter un morceau de cannelle, un clou et demi de girofle et 100 grammes de sucre. Laisser blanchir le mélange, retirer du feu, puis remettre jusqu'à ce qu'il blanchisse à nouveau, le retirer et faire cette opération 5 ou 6 fois, puis le mettre réduire sur le coin du fourneau pendant que l'on préparera une infusion de thé en jetant sur 8 grammes de thé la valeur d'un grand verre d'eau bouillante. Laisser infuser trois minutes. Le vin étant cuit, le passer à l'étamine ou à une passoire fine, y ajouter l'infusion de thé également passée. Remettre sur le feu jusqu'à ce que le liquide blanchisse, mais ne pas laisser bouillir. Mettre au fond de chaque verre une mince tranche de citron et verser par-dessus le vin très chaud.

II

CONFITURES ET CONSERVES

Les confitures, leur préparation en général.

Confitures économiques de ménage.

Compote de pommes sèches.

Marmelade d'abricots.

Les conserves en général.

Conserve d'asperges.

Conserve de cornichons au vinaigre chaud.

Conserve d'oseille.

Conserve de tomates.

Conserves de fruits au sirop.

LES CONFITURES
LEUR PRÉPARATION EN GÉNÉRAL

Choisir des fruits bien mûrs, non tachés. Les meilleures confitures se font dans la traditionnelle bassine de cuivre, à condition qu'elle soit nettoyée avant chaque cuisson et passée à l'eau bouillante. Les bassines d'aluminium peuvent être aussi employées avec succès, mais la cuisson étant alors plus rapide, il faut la surveiller de plus près. Elles ont toutefois cet avantage d'être sans danger si le fruit cuit ou cru y séjourne. Dans le cas où les confitures sont mises en pots ordinaires, en verre et sans couvercle spécial, on glissera d'abord, au ras de la confiture, une rondelle de papier blanc trempée dans l'eau-de-vie. Y ajouter une cuillerée à café d'acide salicylique par tasse de thé. Cela aidera beaucoup à la conservation. Couvrir les pots avec du papier blanc collé sur les bords, ou ficelé autour des pots.

CONFITURES ÉCONOMIQUES DE MÉNAGE

Tous fruits à noyaux et 500 grammes de sucre par kilogramme de fruit net.

Pour ces confitures peu coûteuses, choisir tous les fruits à noyaux : abricots, mirabelles, prunes de reine-Claude et pêches. Éplucher ces dernières après les avoir trempées dans l'eau bouillante, couper tous ces fruits en petits morceaux et les mettre par couches dans une grande terrine de porcelaine en saupoudrant chaque couche de sucre cristallisé et en terminant par une couche de sucre. Laisser ainsi les fruits et le sucre pendant douze heures et verser ensuite le tout dans la bassine à confitures. Cuire à feu vif en remuant toujours avec l'écumoire ou la spatule de bois, jusqu'à ce que le mélange forme marmelade. Remplir alors les pots et ne les couvrir qu'après complet refroidissement. Il faut 1 kilogramme de sucre pour 2 kilogrammes de fruits.

COMPOTE DE POMMES SÈCHES

Pommes sèches : 190 gr.
Sucre : 95 grammes.
1 gousse de vanille.

Mettez 190 grammes de pommes sèches dans une terrine contenant de l'eau, laissez-les tremper pendant dix minutes et, au bout de ce temps, lavez-en chaque morceau avec la main, afin d'en ôter poussière ou sable. Mettez vos morceaux de pommes au fur et à mesure dans une casserole de porcelaine à feu, ou dans un fait-tout d'aluminium. Quel que soit le récipient dont vous vous servirez, il est indispensable qu'il ne soit réservé qu'à l'usage des compotes ou fruits cuits, afin que ceux-ci ne prennent aucun goût de cuisine. Vos pommes étant toutes lavées, recouvrez-les d'eau au double de leur volume et laissez-les ainsi gonfler pendant toute une nuit. Le lendemain, au moment de les faire cuire, les pommes doivent être lourdes et remplies d'eau et l'eau doit être au ras des pommes, mais ne doit pas former un lit au-dessus d'elles. Mettez la casserole telle qu'elle sur le feu (moyen) et ajoutez 4 cuillerées et demie à bouche de sucre cristallisé pour 190 grammes de pommes et une gousse de vanille. Couvrez la casserole, mais laissez le couvercle à demi soulevé, au moyen d'une grande cuiller de bois mise en travers de la casserole, aux deux tiers de sa circonférence, ceci pour éviter que les pommes, qui vont monter et mousser tout comme une confiture, ne passent par-dessus bord. Laissez cuire doucement une heure trois quarts en remuant de temps à autre. Lorsque la compote est de belle teinte rousse, passez-la à la passoire à larges trous, afin qu'elle ne contienne aucun pépin, ni parcelle de cœur, après en avoir ôté la vanille et versez-la dans un compotier ou une coupe creuse. Servez-la tiède.

MARMELADE D'ABRICOTS

Abricots épluchés : 750 grammes.

Sirop de sucre : 560 grammes.

Pour le sirop :
Eau : 37 cl.5.
Sucre : 650 grammes.
Cuire à 30°.

Choisissez des abricots bien mûrs et sans aucune tache. Essuyez-les un à un à l'aide d'un linge fin, puis coupez-les en deux – ôtez-en le noyau que vous réserverez – et coupez ainsi 4 quartiers par abricot. Mettez-les au fur et à mesure dans un grand récipient de porcelaine ou de terre vernissée, puis pesez tous vos noyaux et déduisez ce poids du poids total des fruits avant leur épluchage. Vous aurez ainsi le poids net. Inscrivez-le, puis cassez tous les noyaux pour en recueillir l'amande et mettez ces amandes, pendant quelques minutes, dans un bol rempli d'eau bouillante afin d'avoir plus grande facilité d'en enlever la peau. Jetez dans l'eau froide toutes vos amandes ainsi mondées, égouttez-les sur une passoire, mettez-les à sécher un peu dans un linge. Enfin, préparez le sirop de sucre. Il faut 560 grammes de sirop de sucre pour 3/4 de kilogramme d'abricots. Pour faire le sirop de sucre destiné à cuire cette marmelade, vous mettez dans la bassine, 650 grammes de sucre et un demi-litre d'eau, faites fondre et, bouillir, plongez dans le liquide le pèse-sirop, et lorsqu'il marquera 30°, le sirop sera cuit. Au cours de la cuisson, l'écume du sucre se sera déposée contre les parois de la bassine. Aussitôt le degré de cuisson atteint, retirez la bassine du feu et versez votre sirop sur une chausse en flanelle pour le filtrer. Cette quantité d'eau et de sucre vous donnera un litre de sirop. Il vous sera aisé de calculer le poids de sucre et d'eau nécessaires pour obtenir le sirop utile à la confection de votre marmelade. Remettez dans la bassine le sirop obtenu, menez à ébullition et, lorsqu'il cuit à gros bouillons, jetez-y les abricots et surveillez leur cuisson afin d'écumer autant de fois que ce sera utile. Lorsque la marmelade n'écume plus, joignez-y les amandes, et laissez bouillir le tout quinze minutes sans cesser de remuer à l'aide de la spatule, en soulevant les fruits de la bassine. Assurez-vous de la cuisson parfaite de la marmelade de la façon suivante : versez d'un peu haut, une cuillerée de marmelade sur une assiette ; si elle est à point, elle doit rester compacte et non pas s'étaler. Retirez alors la bassine du feu, mettez en pots aussitôt, mais ne couvrez qu'après complet refroidissement, quarante heures et même cinquante heures après (pendant les grosses chaleurs).

LES CONSERVES EN GÉNÉRAL

Se munir de bocaux et demi-cristal, à fermeture spéciale rendue hermétique par la rondelle de caoutchouc interposée entre bocal et couvercle et par le ressort qui maintient ce couvercle et permet la stérilisation parfaite des conserves. Celle-ci se fait dans une grande marmite où l'on place des bocaux en les isolant les uns des autres au moyen de linges blancs. On les couvre d'eau froide que l'on mène à ébullition et dans laquelle les bocaux doivent bouillir pendant un temps différent selon les produits à stériliser. La stérilisation obtenue, on découvre la marmite pour que la vapeur s'en échappe, on retire les bocaux que l'on laisse refroidir à l'abri des courants d'air (pour qu'ils n'éclatent pas) ; vingt-quatre heures après, la condensation terminée, on s'assure que les couvercles adhèrent bien et l'on range les conserves dans un endroit sec.

CONSERVE D'ASPERGES

Eplucher avec soin des asperges de grosseur moyenne et les couper toutes de la même longueur. Les laver et les ficeler par bottillons de douze ou quinze et les mettre à tremper pendant quatre heures dans de l'eau froide que l'on renouvellera tous les quarts d'heure. Mettre sur le feu vif une grande bassine que l'on emplira d'eau à moitié et que l'on fera bouillir. Ranger d'autre part tous les bottillons les uns à côté des autres, la tête en l'air, et les réunir en une grosse botte que l'on ficellera.

Prendre une serviette solide et très propre, y mettre toutes les asperges et les plonger dans l'eau bouillante où elles doivent bouillir cinq minutes, sans que leur tête soit immergée. Retirer la serviette et les asperges, plonger le tout dans l'eau froide en ayant soin de tenir toujours les têtes en dehors. Lorsqu'elles seront tièdes, déficeler les asperges et les ranger dans les bocaux têtes en haut, en laissant le verre dépasser de 1 ou 2 centimètres. Remplir les bocaux d'eau froide jusqu'à 3 centimètres de la hauteur des asperges. Saler légèrement, fermer les bocaux, boucher avec caoutchouc et ressort et stériliser pendant une heure trois quarts. Noter que, pour un bocal de un litre et demi, 3 livres d'asperges sont nécessaires avant l'épluchage.

CONSERVE DE CORNICHONS AU VINAIGRE CHAUD

Cornichons : 2 kg.250.
Vinaigre de vin 2 l.250.
Vinaigre d'alcool : 1 l.500.
Petits oignons : 95 grammes.
Échalote : 40 grammes
Ail : 15 grammes.
Poivre en grains : 12 gr.
Estragon.

Choisir des cornichons moyens, bien verts et très fermes. Leur couper les deux extrémités et les mettre au fur et à mesure dans un torchon de grosse toile sur lequel on a fait un lit de sel gris. Après l'épluchаge, fermer le torchon et l'agiter d'aplomb, de droite à gauche, de façon à mélanger les cornichons au sel, dans lequel ils resteront une heure. Entretemps, faire bouillir, dans une casserole ou une marmite, du " vinaigre d'alcool " ordinaire en quantité suffisante pour y laver les cornichons. Laisser refroidir le vinaigre, y laver les cornichons, quelques petits oignons, des échalotes et quelques gousses d'ail. Égoutter le tout. Plonger dans des bocaux de verre les cornichons, les oignons, les échalotes, l'ail, y ajouter une cuillerée de poivre en grains par bocal d'un litre, recouvrir d'une grosse branche d'estragon, lavée, elle aussi, dans le vinaigre d'alcool et verser sur le tout, petit à petit, du vinaigre de vin de première qualité bouillant. Fermer seulement plusieurs jours après, lorsque le refroidissement sera complètement fait.

CONSERVE D'OSEILLE

Choisir de l'oseille jeune. En prendre une grande quantité à la fois car elle se réduit beaucoup à la cuisson. L'éplucher soigneusement et en ôter toutes les queues, puis la laver dans de grands baquets, à grande eau, plusieurs fois, jusqu'à ce que l'eau soit devenue absolument claire, puis la sortir de l'eau, à la main, et la mettre dans une grande bassine de porcelaine. Préparer une grande bassine d'aluminium que l'on emplira d'eau et que l'on mettra sur feu vif. Lorsque cette eau sera bouillante, y jeter l'oseille et la laisser bouillir à gros bouillons pendant huit ou dix minutes. L'ôter ensuite de la bassine au moyen de l'écumoire et la verser au fur et à mesure sur un tamis de soie. Dans cette eau de cuisson restée sur le feu, on peut remettre une seconde brassée d'oseille, et même une troisième, puis égoutter l'oseille cuite sur le tamis après chaque cuisson. La verser ensuite dans une casserole de porcelaine à feu ou d'aluminium et la remettre à chauffer sur feu doux en la remuant sans cesse de façon à éviter qu'elle ne s'attache au fond de la casserole. Lorsqu'elle sera complètement réduite en purée consistante, la mettre dans des pots de grès de petite taille et la laisser refroidir. La recouvrir ensuite d'une très légère couche d'huile d'olive. Couvrir chaque pot et conserver dans un endroit bien sec.

CONSERVE DE TOMATES

Faire cuire pendant douze heures des tomates coupées, avec sel, poivre, un bouquet garni et une grande branche de céleri. Passer ensuite à la passoire fine ou au tamis, de façon à recueillir pépins et peaux que l'on jettera. Dans une grande terrine de porcelaine ou dans un récipient d'aluminium, mettre une grande passoire à pieds ; sur cette passoire, un torchon de toile. Sur ce torchon, vider la sauce tomate, afin que l'eau acide qu'elle contient soit séparée de la masse. Jeter cette eau et mettre la purée très épaisse de tomates, soit dans des pots, soit dans des bouteilles de verre épais pouvant supporter l'ébullition. Glisser sur les tomates une très mince couche d'huile, boucher aux bouchons de liège, ficeler comme pour le cidre et mettre à bouillir pendant une demi-heure, en isolant les bouteilles les unes des autres. Pour se servir de cette sauce, l'allonger au double de son volume avec de l'eau et la lier avec du beurre.

Dix kilogrammes de tomates donnent environ 4 litres de sauce.

CONSERVES DE FRUITS AU SIROP

A l'avantage d'employer moins de sucre que les confitures et de laisser aux fruits tout leur parfum. Mettre dans une mesure de un litre, 300 grammes de sucre et remplir d'eau. Laisser fondre le sucre et vider le mélange dans une grosse casserole. Recommencer ainsi autant de fois que cela sera nécessaire selon la quantité de fruits à conserver. Mettre ensuite l'eau sucrée sur le feu et la laisser bouillir cinq minutes. Filtrer ce sirop au moyen d'un tampon d'ouate que l'on aura mis au fond d'un entonnoir. Le laisser refroidir avant de l'employer. Noter qu'il faut environ un litre de sirop pour remplir trois bocaux de un litre garnis de fruits.

Pour les *cerises,* ne laisser aucun fruit taché, ôter les queues, mais laisser les noyaux. Ranger les fruits dans les bocaux, couvrir de sirop, assujettir caoutchouc, couvercle et ressort de façon à permettre la stérilisation parfaite des conserves. Cette stérilisation se fera dans une grande marmite où les bocaux seront placés, isolés les uns des autres, au moyen de linges blancs. Les couvrir d'eau froide que l'on mène à ébullition et dans laquelle les bocaux devront bouillir, pour les cerises, pendant quinze minutes. La stérilisation commencera à l'ébullition. Au bout de ces quinze minutes de stérilisation, découvrir la marmite pour que la vapeur s'en échappe, retirer les bocaux et les laisser refroidir à l'abri des courants d'air pour éviter qu'ils n'éclatent. Lorsque la condensation sera terminée, soit environ vingt-quatre heures après, s'assurer que les couvercles adhèrent bien et ranger les bocaux dans un endroit bien sec.

Pour les *abricots,* les partager en deux, les débarrasser de leur noyau, les ranger dans les bocaux et les recouvrir de sirop. Bocaux fermés et ressorts fixés. Procéder ensuite comme pour les cerises, avec la différence que la stérilisation durera vingt minutes au lieu de quinze.

Pour les *mirabelles,* les ranger dans les bocaux, les recouvrir de sirop et procéder comme ci-dessus. Stériliser de quinze à vingt-cinq minutes selon le degré de maturité du fruit.

Pour les *prunes,* enlever les queues et ranger les fruits dans les bocaux en les tassant bien. Les recouvrir de sirop et stériliser, selon que le fruit est plus ou moins mûr, de vingt à trente minutes.

III

ENTREMETS ET PÂTISSERIES

Baba au rhum.
Beignets au fromage.
Beignets d'oranges.
Beignets soufflés.
Beignets viennois.
Crème aux marrons.
Crème Chantilly.
Crème fouettée.
Crème prise au caramel.
Crème renversée.
Crêpes.
Croquettes de riz.
Flan de cerises.
Gâteau de cerises.
Galette des Rois feuilletée.
Gâteau d'amandes.
Gâteau de ménage économique.
Gâteau de semoule.
Œufs à la neige.
Omelette au rhum.
Omelette aux confitures.
Omelette soufflée.
Omelette sucrée.
Pâte au fromage.
Pâte à frire.
Pâte feuilletée.
Petites galettes feuilletées.
Petits pains de Turin.
Soufflé au pain.
Soufflé aux marrons.
Soufflé au riz.
Soufflé au pommes.
Tarte aux poires.
Tartines suédoises.
Tranches de brioche au rhum.
Tranche russe.

BABA AU RHUM

2 œufs.
Farine : 10 grammes.
Beurre : 40 grammes.
Crème : 30 grammes.
Sucre : 95 grammes.
Levure alsacienne : 1 paquet.
Rhum : 1 verre 1/2 à liqueur.
Sel fin.

Mettre dans un saladier 90 grammes de farine, faire un petit creux et casser au milieu 2 œufs entiers, mettre une pincée de sel fin, une cuillerée et demie de crème, ou la crème du lait bouilli, avec encore une cuillerée de lait condensé sucré. Mélanger le tout en ajoutant peu à peu 30 grammes de beurre frais fondu. Travailler le tout pendant huit minutes et ajouter les 3/4 d'un paquet de levure alsacienne. Beurrer un moule à savarin. Y verser la pâte, recouvrir d'un papier beurré et mettre au four doux pendant vingt-cinq minutes. Préparer à froid, pendant la cuisson, un sirop fait avec 14 morceaux de sucre fondus dans un demi-verre d'eau additionné d'un verre et demi à liqueur de rhum. Arroser le baba, démoulé au sortir du four, avec ce sirop. Faire ce gâteau neuf à dix heures avant de le servir.

BEIGNETS AU FROMAGE

Beurre : 65 grammes. 2 œufs. Farine.
Gruyère : 65 grammes. Lait. Sucre.

Faire fondre, dans une casserole, en égale quantité, beurre et fromage de gruyère que l'on mouillera de lait. Former une pâte épaisse avec de la farine, des œufs, et séparer cette pâte en rondelles grosses comme une pièce de 20 francs. Faire une friture aussi légère que possible, les cuire dedans, saupoudrer de sucre et servir.

BEIGNETS D'ORANGES

2 oranges. 1 œuf.
Sucre. Farine.

Choisir de belles oranges, les éplucher soigneusement, les diviser en 7 ou 8 quartiers et en retirer les pépins. Laisser séjourner les quartiers d'oranges pendant dix minutes environ dans du sucre clarifié, les égoutter, les tremper dans de la pâte à frire très légère et les faire frire de belle couleur dorée. Au moment de servir, glacer au sucre et râper dessus un peu de zeste d'orange.

BEIGNETS SOUFFLÉS

3 œufs.
Farine : 250 grammes.
Rhum.
Sucre.

Mettre dans un plat creux une livre de farine, une bonne pincée de sel, un demi-verre à liqueur de rhum et 3 jaune d'œufs. Délayer avec de l'eau tiède et faire une pâte gluante que l'on battra à la main jusqu'à ce qu'elle se détache du plat. Couvrir alors cette pâte avec les 3 blancs d'œufs battus en neige et la laisser lever une heure ou deux. Au moment de faire les beignets, mélanger les blancs à la pâte. Avoir une friture bien chaude, y mettre gros comme une noix de pâte pour chaque beignet, dont le volume se triplera au moins à la cuisson. Laisser prendre une belle teinte dorée, retirer alors les beignets de la friture et les saupoudrer de sucre en poudre. Ces beignets se servent chauds.

BEIGNETS VIENNOIS

2 œufs coque.
Farine : 210 grammes.
Levure alsacienne : 8 gr.
Beurre : 15 grammes.
Confiture.
Sucre en poudre.
Sel fin.
Friture bouillante.

Sur la planche à pâtisserie, mettez en tas, 210 grammes de farine tamisée, faites un creux au milieu pour former fontaine et mettez-y une bonne pincée de sel fin, 8 grammes de levure et cassez-y 2 œufs. Vos mains étant impeccablement propres, procédez comme pour la pâte à roussettes en incorporant à votre appareil 85 grammes de beurre fondu sur le coin du fourneau. Ramassez votre pâte, puis abaissez-la avec le rouleau fariné, à un demi centimètre d'épaisseur ; ensuite découpez-la à l'emporte-pièce rond de 10 centimètres de diamètre (une grande tasse ou un bol peuvent faire l'affaire) ; à l'aide d'un pinceau, mouillez à l'eau, les bords de chaque rond de pâte, puis placez au milieu gros comme une noix de confitures d'abricots, de mirabelles, de cerises, ou de compote de pommes très compacte.

Pliez par le milieu chaque rond de pâte et appuyez bien sur les bords pour les souder. Rangez tous ces petits chaussons sur un linge que vous aurez auparavant saupoudré de farine et laissez-les lever une demi-heure. Préparez et faites chauffer de la friture. Lorsqu'elle est bouillante, faites-y frire chacun de vos chaussons. Egouttez-les et servez-les sur une serviette pliée placée sur un plat. Saupoudrez de sucre.

CRÈME AUX MARRONS

Eplucher 20 à 25 beaux marrons, les faire cuire à l'eau, enlever la seconde pellicule et ensuite les écraser avec un quart de lait. Ajouter 50 grammes de sucre en poudre et 2 jaunes d'œufs, aromatiser à la vanille et lier légèrement. Mélanger à l'appareil 2 blancs en neige, mettre au four et servir comme un soufflé.

CRÈME CHANTILLY

1/2 litre de crème. Vanille. Sucre.

Se procurer de la crème aussi fraîche que possible. La verser soit dans un saladier, soit dans une bassine de cuivre non étamée ; puis, avec un fouet en fil de fer, la battre pour la faire monter comme des blancs d'œufs en neige. En un quart d'heure, si la crème est bonne et épaisse, elle sera montée. On la sucrera alors avec de la vanille, de la fleur d'oranger, ou une liqueur à son goût, et on la tiendra au frais en attendant le moment de la servir.

CRÈME FOUETTÉE SIMPLE

Crème double : 375 grammes. Lait : 0 l.375.

Se procurer 375 grammes de crème double épaisse, la mettre dans un saladier et celui-ci calé par de la glace dans un autre récipient. Avoir 0 l.375 de lait bouilli et refroidi. Incorporer petit à petit ce lait à la crème et fouetter vivement en laissant l'appareil sur glace. Se servir de préférence d'un fouet d'osier. Verser ensuite la crème sur un tamis de crin, avant de la sucrer et de la parfumer, si on l'emploie seule.

CRÈME PRISE AU CARAMEL

6 œufs. 1 litre de lait. Sucre. Beurre.

Caramélisez un moule avec du sucre en poudre et laissez refroidir. Cassez 6 à 8 œufs, ajoutez quelques jaunes, fouettez et délayez avec un litre de lait. Ajoutez 300 grammes de sucre, parfumez. Dix minutes après, passez le liquide, versez dans le moule après en avoir beurré les parois. Posez le moule dans une casserole, sur un trépied, versez de l'eau chaude autour, de façon qu'elle arrive à moitié de hauteur ; faites bouillir l'eau et retirez sur feu très doux, afin que le liquide conserve sa chaleur sans bouillir. Couvrez ; mettez des cendres chaudes sur le couvercle et laissez pocher la crème pendant au moins une heure. Laissez refroidir dans l'eau et retournez au moment de servir. On peut cuire cette crème au four, mais il faut la surveiller beaucoup pour éviter les coups de feu.

CRÈME RENVERSÉE

Lait : 1,5 l. 3 œufs. Sucre : 125 gr. Vanille.

Mettre dans un grand bol un demi-litre de lait, 3 œufs et environ 125 grammes de sucre. Mettre, d'autre part, dans une casserole un demi-quart de sucre et une petite cuillerée d'eau. Faire fondre en caramel un peu coulant, chauffer le bol dans l'eau bouillante, étendre promptement dedans le caramel afin qu'il en soit partout enduit. Battre les 3 œufs, sur lesquels l'on versera le demi-litre de lait bouillant dans lequel on aura mis le sucre et un peu de vanille, citron ou toute autre essence. Avoir soin, en versant le lait sur les œufs, de tourner sans cesse avec une cuiller en bois. Passer ce mélange, le verser dans le bol et faire prendre au bain-marie avec du feu sur le couvercle. Laisser refroidir, retourner le bol sur un plat sans briser la crème et verser dessus le reste du caramel.

CRÊPES

Farine : 100 grammes.
1 œuf.
1/2 citron.
Huile.
1/2 verre de bière.
Rhum.
Beurre.

Prendre 100 grammes de farine de gruau, 1 œuf entier, un peu d'huile, un demi verre de bière, un peu d'eau tiède suivant la farine, un petit verre de rhum, un peu de zeste de citron ou d'orange. Délayer la farine avec l'œuf, l'huile, le sel et la bière, travailler un peu, ajouter l'eau et le zeste ; laisser reposer quelques heures dans un endroit un peu chaud et sans air. Au moment de se servir de la pâte, prendre une poêle, la plus épaisse et la plus plate. Planter avec une fourchette en fer un petit carré de lard frais par le côté de la couenne, le tremper dans le beurre fondu et clarifié, frotter la poêle bien chaude ; verser un peu de pâte et faire glisser vivement sur la surface de la poêle, puis laisser cuire. Secouer la poêle d'un coup de la main droite sur le milieu de la queue de la poêle. Ce coup détache la crêpe. Sucrer et servir aussitôt.

CROQUETTES DE RIZ

Faire crever sur le feu, avec un verre d'eau, un peu de sel et du zeste de citron râpé, 125 grammes de riz bien lavé ; mouiller peu à peu avec de la crème, ajouter du sucre, du beurre frais, quelques morceaux de vanille, des jaunes d'œufs et des blancs battus en neige. Mélanger bien le tout et en faire de petites boulettes que l'on trempera dans l'œuf battu et que l'on passera deux fois. Les faire frire et les servir toutes chaudes, saupoudrées de sucre.

FLAN DE CERISES

Farine : 375 grammes.
Beurre fin : 100 grammes.
Sucre : 75 grammes.
Cerises : 375 grammes.
Lait : 1/2 verre.
2 œufs frais.

Mettre dans un saladier 375 grammes de farine au milieu de laquelle on cassera 2 œufs entiers, ajouter une cuillerée de sucre en poudre, mélanger les œufs à la farine et former une pâte en délayant le tout avec un demi-verre de lait et en incorporant 100 grammes de beurre fondu. Beurrer une tourtière plate, disposer dessus la pâte qui doit être mince et que l'on relèvera sur les bords. Sur cette pâte, disposer les cerises auxquelles on a enlevé au préalable queues et noyaux, serrer les rangs le plus possible et saupoudrer largement de sucre. Cuire à feu doux le temps nécessaire, environ une demi-heure, et au moment de servir, ajouter encore un peu de sucre en poudre.

GÂTEAU DE CERISES

6 petits pains.
Cerises : 500 grammes.
Sucre.
3 œufs.
Beurre.

Ayez 5 petits pains de 35 centimes, une livre de cerises dont vous aurez enlevé les noyaux. Faites tremper les cerises dans du lait bouilli froid et sucré ; passez-les au tamis, ajoutez 3 œufs dont vous battez les blancs en neige ; mettez 70 grammes de beurre, 70 grammes de sucre, les cerises. Mélangez le tout, beurrez un moule et faites cuire au four une demi-heure.

GALETTE DES ROIS FEUILLETÉE

Farine : 225 grammes.
Beurre fin : 150 grammes.
1 œuf.
Une petite pincée de sel fin.

Procéder de la même façon que pour la pâte feuilletée, former une grosse boule avec la pâte et l'abaisser le plus rond possible de l'épaisseur de un centimètre. Faire alors une petite entaille en dessous de la galette et y introduire une fève, puis reboucher. Faire autour de la galette des hachures en biais, avec la pointe d'un couteau, rayer le dessus, toujours avec le couteau, en formant des losanges ; mettre sur la plaque et piquer la galette pour éviter les soufflures. Ensuite, la dorer et cuire à four chaud. Pour dorer, délayer un jaune d'œuf bien battu dans une cuillerée d'eau froide et badigeonner légèrement la galette à l'aide d'un petit pinceau.

GÂTEAU D'AMANDES

Sur une table, disposer un demi-litre de fleur de farine. Faire un trou au milieu dans lequel on mettra 65 grammes de beurre fin, autant de sucre en poudre, 100 grammes d'amandes pilées, 2 œufs entiers et une pincée de sel. Pétrir bien le tout ensemble, lui donner quelques tours de rouleau, disposer le gâteau dans un moule à tartes ; dorer le dessus au jaune d'œuf battu, le faire cuire et glacer en dernier lieu avec la pelle rougie.

GÂTEAU DE MÉNAGE ÉCONOMIQUE

1/4 de litre de lait.
1 œuf.
Raisins secs.
Pain rassis : 100 grammes.
Sucre.

Couper en tranches minces le pain rassis comme pour la soupe ; le faire tremper un quart d'heure dans un quart de litre de lait sucré. Ensuite, écraser bien ce pain et en former une pâte dans laquelle on jettera une poignée de raisins secs, un œuf battu et une cuillerée d'eau de fleur d'oranger. Bien mélanger le tout, verser dans un moule uni enduit de caramel et faire cuire au four. Ce gâteau peut se servir froid ou chaud.

GÂTEAU DE SEMOULE

Faire bouillir un demi-litre de lait. Y mettre 125 grammes de semoule de manière à faire une bouillie épaisse. Laisser cuire un peu, sucrer et parfumer de zeste de citron. Ajouter 2 jaunes d'œufs et un blanc fouettés en neige. Beurrer un moule en saupoudrant le beurrage de chapelure très fine. Y verser la composition. Achever de cuire sur feu doux, le moule entouré de cendres.

ŒUFS À LA NEIGE

5 œufs à la coque.
Sucre en poudre : 150 gr.
1 gousse de vanille.
Lait : 40 centilitres.

Ayez 5 œufs très frais et 2 grands bols de porcelaine ; en cassant les œufs, mettez dans l'un les blancs et dans l'autre les jaunes. Ayez également 40 centilitres de lait dont vous prélèverez une ou deux cuillerées pour les ajouter aux 5 jaunes d'œufs, en les délayant. Passez ce mélange au tamis et réservez-le. Mettez sur le feu, dans une casserole qui ne doit servir qu'à cet usage, le restant du lait, en y ajoutant 150 grammes de sucre et une belle gousse de vanille. Laissez le lait "monter", puis mettez sur le côté du feu. A ce moment, fouettez en neige très ferme les blancs d'œufs et, lorsqu'ils seront bien montés, ajoutez-leur, en les jetant en pluie, pendant que vous continuez de les fouetter, 2 cuillerées de sucre en poudre. Remettez sur le feu la casserole contenant le lait, faites bouillir, puis, dans le lait bouillant, faites pocher vos blancs d'œufs en les prenant à l'aide d'une petite écumoire. Retournez-les et, sitôt cuits, retirez-les avec une écumoire à larges trous et mettez-les sur un compotier. De votre lait restant dans la casserole, retirez la gousse de vanille et mettez la casserole, retirez la gousse de vanille et mettez la casserole sur le coin du fourneau afin que le lait se tienne très chaud sans bouillir. Reprenez vos jaunes d'œufs délayés avec un peu de lait, versez-y, peu à peu, en les remuant, la moitié de votre lait chaud; puis transvasez dans votre casserole où se trouve le restant du lait et remuez toujours avec la cuiller de bois pour que tout le mélange ne tourne pas. Rapprochez la casserole du feu, en tournant toujours, afin que le mélange épaississe sans bouillir, puis, lorsque votre crème a obtenu la consistance voulue, ôtez la casserole du feu et mettez-la tout de suite dans un récipient rempli d'eau froide. Reprenez vos œufs en neige que vous rangez en rochers sur une coupe et versez dessus votre crème à la vanille refroidie.

OMELETTE AU RHUM

3 œufs.
Sucre.
Beurre.
Rhum.

La préparer comme l'omelette sucrée. Après l'avoir mise sur un plat, l'arroser avec du rhum auquel on aura mis le feu en servant l'omelette.

OMELETTE AUX CONFITURES

6 œufs.
Crème fraîche : 30 grammes.
Beurre : 40 grammes.
Confiture.
Sucre poudre : 40 grammes.
Zeste de citron. Sel.

Casser 5 œufs en séparant les jaunes des blancs dans deux récipients de différente grandeur. Dans le plus grand, mettre les blancs que l'on battra en neige ; dans l'autre, battre les jaunes après y avoir ajouté un peu de zeste de citron et quelques grains de sel. Ajouter ensuite les jaunes aux blancs et battre bien fortement le tout ensemble en y incorporant 2 cuillerées environ de crème fraîche. Dans une poêle, mettre 40 grammes de beurre fin, faire fondre à feu doux et faire cuire comme une omelette ordinaire. Lorsqu'elle est cuite et se détache de la poêle, retirer celle-ci du feu, tartiner de confitures (à son choix) l'intérieur de l'omelette, puis la plier en chausson en la dressant sur le plat ; saupoudrer de sucre et passer dessus la petite pelle rougie pour faire caramel.

OMELETTE SOUFFLÉE

3 œufs bien frais.
Sucre : 65 grammes.
1/2 citron.
Beurre : 40 grammes.

Prendre les œufs, séparer les jaunes des blancs. Battre ces derniers en neige avec le sucre en poudre, du zeste de citron râpé ou un peu de vanille. Mettre, dans une tourtière, 65 grammes de très bon beurre et le faire fondre sur un feu vif. Quand le beurre est fondu, y verser l'omelette, ajouter un peu de sel, faire cuire à feu modéré et au four.

OMELETTE SUCRÉE

3 œufs.
Sucre.
1/2 citron.
Beurre.

Séparer les jaunes des blancs de 3 œufs ; battre les blancs en neige, battre les jaunes avec du sucre en poudre et du zeste de citron râpé ; ajouter un peu de sel et un peu de crème ; faire cuire comme une omelette ordinaire, servir chaud après l'avoir saupoudrée de sucre.

PÂTE AU FROMAGE

Farine : 95 grammes.
1 œuf.
Sel : 3 grammes.
Parmesan râpé : 40 grammes.

Dans un mortier, mettez 95 grammes de farine, formez un creux, cassez-y un œuf entier, ajoutez une pincée de sel, mélangez peu à peu la farine à l'œuf en ajoutant un peu d'eau, afin d'obtenir une pâte assez ferme. Laissez reposer pendant dix minutes, puis, à l'aide du rouleau à pâtisserie, abaissez la pâte jusqu'à un centimètre d'épaisseur, parsemez cette pâte de petits morceaux de beurre fin, puis pliez les bords de la pâte sur le beurre, des 4 côtés, puis roulez à nouveau. Allongez la pâte jusqu'à un demi-doigt d'épaisseur et pliez alors la bande obtenue en trois parties égales, l'une sur l'autre, abaissez à nouveau avec le rouleau, aussi mince que la première fois, puis pliez encore en trois. Laissez reposer dix minutes, puis abaissez à nouveau deux fois votre pâte, comme il est dit plus haut, en la pliant sur elle-même trois fois. Dix minutes de repos, puis deux nouveaux tours d'abaisse, ce qui fait, en tout, six tours. Pour les deux premiers tours d'abaisse, saupoudrez la planche à pâtisserie de farine, afin que la pâte n'y colle pas et, pour les quatre derniers tours, saupoudrez la planche et le dessus de la pâte avec du parmesan râpé. Ensuite, abaissez à nouveau et pour la dernière fois la pâte très mince, puis coupez-la en bâtonnets de 15 centimètres de long sur 1 centimètre et demi de large. Dorez la surface avec de l'œuf battu et saupoudrez de parmesan râpé. Mettez ces bâtonnets sur une plaque en leur donnant la forme d'une vrille et cuisez à four vif.

PÂTE À FRIRE

Farine : 100 grammes.
Huile : 15 grammes.
Rhum : 15 grammes.
Vin blanc : 1/2 verre.
Eau chaude : 1/2 verre.
1 œuf. Sel fin.

Dans un petit saladier ou un grand bol, mettre 100 grammes de farine, creuser au milieu, ajouter une pincée de sel et un œuf entier ; mélanger petit à petit à l'œuf la farine, au moyen d'une spatule de bois. Ajouter peu à peu la valeur d'un verre de liquide mélangé par moitié vin blanc et eau chaude. Lorsque la farine est entièrement délayée, le tout doit former une pâte épaisse et bien lisse ; y ajouter une cuillerée de rhum et une cuillerée d'huile blanche sans aucune odeur. Mélanger bien et laisser reposer une demi-heure avant de s'en servir.

PÂTE FEUILLETÉE

Farine : 450 grammes.
Beurre : 375 grammes.
Sel fin : 12 grammes.

Mettre la farine sur la planche à pâtisserie, former au milieu un bassin, y mettre le sel et détremper farine et sel avec de l'eau bien fraîche. Peu à peu, former ainsi une pâte bien consistante, mais qui ne doit pas être dure. En former une grosse boule. Fendre cette boule en croix, y introduire le beurre qui doit être mou, mais non fondu. Au besoin, s'il est trop dur, le manier dans les mains mouillées. Fermer la pâte, donner deux tours à cette pâte en la pétrissant et en l'aplatissant au rouleau, en la pliant sur elle-même deux fois. La laisser reposer dans un endroit frais, durant un quart d'heure, redonner deux plis et deux tours de rouleau, laisser reposer un quart d'heure, donner un sixième tour et abaisser la pâte à l'épaisseur voulue selon la pâtisserie que l'on veut faire.

PETITES GALETTES FEUILLETÉES

Avec ce qui peut rester de pâte feuilletée et brisée, faire, pour le thé, de petites galettes. Mettre tous les déchets de pâte sur la table, les rassembler, les mélanger et les abaisser au rouleau sur un demi-centimètre d'épaisseur, découper dans la pâte, avec un verre à eau, de petites galettes, les mettre sur la plaque où elles cuiront, les dorer, les saupoudrer de sel et faire cuire à four chaud.

PETITS PAINS DE TURIN

Farine : 12 cuillerées.
Sucre : 6 cuillerées.
2 œufs.
Beurre : 60 grammes.
Râpure d'un citron.

Vous mettrez dans une terrine, 12 cuillerées de farine et 6 de sucre en poudre, 2 œufs, la râpure d'un citron, 60 grammes de beurre fin, et, avec une cuiller de bois, vous manierez le tout ensemble jusqu'à ce que cela forme une pâte ferme et malléable. Si 2 œufs étaient insuffisants, il faudrait en ajouter un troisième, de même que, si la pâte était trop molle, il faudrait lui ajouter un peu de sucre et de farine. Vous renverserez votre pâte sur une table et la manierez jusqu'à ce qu'elle puisse rouler facilement, avec la main, pour en former toutes sortes de petits dessins et nattes, ainsi que des petits pains de la longueur du doigt. Vous les arrangerez sur une feuille d'office, les dorerez à plusieurs reprises, avant de les mettre au four, qui doit être plus chaud que pour les biscuits ordinaires.

SOUFFLÉ AU PAIN

Pain : 250 grammes.
Lait.
Sucre : 50 grammes.
1 œuf.

Mettre dans une terrine, 250 grammes de pain trempé de la veille dans du lait et bien égoutté ; après l'avoir écrasé et réduit en purée, y ajouter 50 grammes de sucre, autant de beurre et un jaune d'œuf ; mélanger bien le tout.

Ajouter, au moment de le faire cuire, le blanc battu en neige, verser le tout dans un plat ou une timbale et mettre au four, pas trop chaud, pendant une demi-heure environ.

SOUFFLÉ AUX MARRONS

Marrons : 300 grammes.
Lait.
Sucre.
3 œufs.
Sirop de groseille.

Pelez 300 grammes de marrons et faites-les bouillir à l'eau, dans une casserole, jusqu'à ce qu'ils soient à demi cuits ; égouttez l'eau, recouvrez la casserole pour que la cuisson puisse s'achever à l'étouffé. Lorsque les marrons sont très tendres, enlevez la deuxième pelure ou pellicule et pilez-les dans un mortier. Mouillez-les, de temps en temps, avec un peu de lait chaud dans lequel vous avez fait fondre du sucre parfumé à la vanille. Quand la pâte est bien pilée et bien lisse, ajoutez-y successivement 3 blancs battus en neige très ferme. D'autre part, faites un caramel blond que vous versez dans un moule à charlotte ; quand il est refroidi, versez-y votre pâte, mettez le moule au four et laissez-le cuire quarante minutes. Le soufflé est cuit lorsqu'une lame de couteau qu'on y plonge est retirée sèche. Quand il est à demi-froid, démoulez-le sur un plat rond et versez dessus un sirop de groseille ou d'orange au rhum.

SOUFFLÉ AU RIZ

Faire crever à l'eau et cuire 50 grammes de riz bien lavé. Y ajouter, dans une casserole, du sucre en poudre, des macarons écrasés, de la fleur d'oranger et 3 jaunes d'œufs battus. Mélanger bien le tout et lui faire absorber vivement les blancs d'œufs battus en neige. Disposer alors l'appareil dans le fond d'une casserole. Cuire sur feu doux, au four.

SOUFFLÉ AUX POMMES

Eplucher, cuire et écraser des pommes de reinette avec du sucre. Passer, mélanger avec autant de blancs d'œufs battus en neige, dresser en forme de dôme dans un plat à gratin, cuire huit minutes au four et servir chaud.

TARTE AUX POIRES

Farine : 150 grammes.
Beurre : 100 grammes.
Poires à cuire : 1/2 kilogramme.
1/2 verre de vin rouge.
Sucre.

Peler et couper les poires en quartiers, les faire cuire avec du sucre et du vin rouge additionné d'un peu d'eau jusqu'à ce que les poires soient réduites en purée et la passer au tamis de fer. Etendre cette purée sur la pâte à tarte et mettre au four une heure.

TARTINES SUÉDOISES

1 pain pour sandwich.
Beurre : 125 grammes.
Crème.
Framboises.

Coupez en minces tartines du pain à sandwich, beurrez-les légèrement, puis couvrez-les de crème fraîche battue avec de l'anis vert et du sucre en poudre. Ajoutez à la crème un peu de jus de framboise. C'est délicieux et charmant.

TRANCHES DE BRIOCHE AU RHUM

1 brioche.
Rhum.
Beurre : 125 grammes.
Sucre.

Faites-les tremper quelques heures dans l'eau très sucrée et fortement additionnée de rhum ; au moment de les servir, mettez un bon morceau de beurre frais dans la casserole ; dès qu'il est chaud, placez-y vos tranches de brioche ; ajoutez-y le jus qu'elles n'auront pas bu ; laissez bouillir une minute à peine ; placez-les dans un plat ; videz dessus le jus qui se trouve dans votre casserole et saupoudrez de sucre.

TRANCHE RUSSE

Biscuits : 125 grammes.
Lait.
10 œufs.
Gélatine : 20 grammes.
Orange.

Prenez 125 grammes de biscuits à la cuiller (bien secs), garnissez-en un moule uni et emplissez-le de crème ainsi préparée ; faites bouillir, pendant deux minutes, 4 verres de lait sucré, dans lequel vous avez mis 3 feuilles de *laurier-amande ;* passez-le ; cassez dans une terrine, à part, 10 œufs, dont vous n'emploierez que les jaunes ; délayez-les avec un verre de lait froid, puis, en remuant toujours, ajoutez-y votre lait bouilli. Replacez le tout sur le feu, remuez sans cesse, et, lorsque cette crème commencera à s'épaissir, retirez-la du feu en la tournant ; ajoutez-y quelques gouttes de fleurs d'oranger et 20 grammes de gélatine. Remuez bien le tout ; faites refroidir le plus possible et ajoutez les 10 blancs d'œufs battus en neige ; remuez encore le tout, versez dans votre moule garni de biscuits, recouvrez encore la crème de biscuits et faites prendre à la glace.

IV

HORS-D'ŒUVRE

ET SALADES

Beurre d'anchois.

Crevettes sauce mayonnaise.

Œufs aux anchois.

Salade de chou-fleur.

Salade de céleri-rave.

Salade Rachel.

Salade de haricots blancs frais et légumes variés.

Salade russe.

BEURRE D'ANCHOIS

Anchois : 200 grammes.
Beurre : 200 grammes.
Persil : environ 8 à 10 gr.
Poivre gris.

Prendre 200 grammes d'anchois marinés à l'huile fine. Ils ne doivent plus avoir d'écailles ni de tête, et il sera facile de lever les filets. Mettre tous ces filets dans un mortier et commencer à les piler ave le pilon de marbre. Lorsqu'ils sont à moitié pilés, y ajouter 200 grammes de beurre fin et une cuillerée de persil finement haché. Il faut que l'on obtienne une pâte très fine et très lisse qui se tartinera bien. On peut, selon son goût, relever ce beurre d'un peu de poivre gris.

CREVETTES SAUCE MAYONNAISE

Crevettes : 200 grammes.
1 laitue.
Mayonnaise : 1/2 verre.

Choisir de grosses crevettes grises, leur ôter la tête et éplucher soigneusement les queues, les réserver. D'autre part, éplucher et laver le cœur d'une laitue, l'égoutter et le sécher avant de le couper grossièrement, en garder les trois plus grandes feuilles. Avec celles-ci, faire le fond de son ravier. Prendre la moitié de la sauce mayonnaise que l'on aura pimentée d'une pointe de poivre de Cayenne. Mettre dans cette sauce la laitue coupée en la malaxant, de façon à faire un onctueux canapé de verdure ; étaler cette garniture dans le ravier déjà paré des feuilles entières ; mettre par-dessus les crevettes et recouvrir le tout de la seconde moitié de mayonnaise. Saupoudrer de persil finement haché.

ŒUFS AUX ANCHOIS

3 œufs.
Anchois : 75 grammes.
Vinaigre : 15 grammes.
Huile : 30 grammes.
Sel, poivre.

Faire durcir 3 œufs en les mettant à l'eau froide et en laissant bouillir cinq à six minutes. Les rafraîchir afin qu'ils se pèlent mieux, puis les mettre sur la planche à hacher avec deux branches de persil et hacher le tout ensemble. Mettre cette farce dans un petit saladier, ajouter poivre, sel, une cuillerée de vinaigre, de l'huile, remuer le tout qui formera une pâte onctueuse. Dresser celle-ci dans un ou deux raviers, égoutter sur une assiette des filets d'anchois au préalable confits dans l'huile, tourner en escargot sur le doigt chacun des filets et les ranger sur la farce d'œufs.

SALADE DE CHOU-FLEUR

Chou-fleur.
Huile : 35 grammes.
Vinaigre : 15 grammes.
Persil haché.
Sel, poivre ;
Ou mayonnaise : 1/2 verre.

Diviser le ou les choux-fleurs en petits bouquets. Les laver dans plusieurs eaux et les blanchir à l'eau bouillante salée. Ils cuiront dans cette eau une grande demi-heure, et, pour leur enlever l'acidité, y ajouter, en cours d'ébullition, une grosse boule de mie de pain nouée dans un linge fin, mais ne pas couvrir complètement la casserole et régler un feu moyen dès que l'ébullition sera commencée. Les choux-fleurs cuits, les égoutter et les laisser presque refroidir, puis les dresser dans un saladier en reconstituant un gros chou-fleur et préparer à part la sauce, c'est-à-dire : une cuillerée de vinaigre pour 2 cuillerées et demie de bonne huile, persil et cerfeuil hachés, le tout battu ensemble. Arroser le chou-fleur de cette sauce. Le saupoudrer de quelques câpres ou le masquer entièrement d'une sauce mayonnaise et servir.

SALADE DE CÉLERI-RAVE

1 céleri-rave.
Moutarde.
Mâche.
Betterave.

Epluchez un céleri-rave, coupez-le par le milieu et faites-le cuire dans l'eau salée. Taillez-le régulièrement en bâtonnets et assaisonnez tout chaud, en ajoutant de la bonne moutarde française, des ciboules et du vert de céleri haché. On peut le décorer avec de la mâche et de la betterave.

SALADE RACHEL

1 petite tête de céleri-rave.
2 truffes.
2 œufs.
Huile.
Moutarde.

Cuisez à l'eau salée une tête de céleri-rave que vous pelez et découpez en gros bâtonnets. Taillez ces bâtonnets en petites rondelles minces que vous assaisonnez avec sel, poivre, huile et vinaigre. Taillez de même une ou deux truffes cuites que vous assaisonnez pareillement. Une heure après, égouttez, mettez dans un saladier et liez avec une mayonnaise relevée de moutarde.

SALADE DE HARICOTS BLANCS FRAIS ET LÉGUMES VARIÉS

Haricots écossés : 200 gr.
Haricots verts : 200 grammes.
Carottes.
Laitue.

Choisir des haricots blancs fraîchement écossés. Les faire cuire dans du lait. Après les avoir égouttés, les ranger au milieu d'un saladier, couronner ce tas, de distance en distance, d'un cœur de laitue, tasser une autre petite quantité de haricots vers fins et varier le décor avec des carottes ou navets cuits que l'on aura coupés en petits dés. Saupoudrer de persil et civette finement hachés et assaisonner à son goût.

SALADE RUSSE

Macédoine : 1 boîte.
Anchois : 100 grammes.
Câpres : 40 grammes.
1 truffe.
Mayonnaise : 1/4 de litre.

Prendre une boîte de macédoine de légumes conservés au naturel. Egoutter les légumes et les passer à l'eau fraîche, puis les égoutter de nouveau dans une serviette de toile. Mettre ensuite cette macédoine dans un mortier en attente de l'assaisonnement. Préparer alors une sauce mayonnaise avec 2 jaunes d'œufs, 2 cuillerées à bouche de vinaigre et un grand verre d'huile blanche. Avec quelques cuillerées de cette sauce, assaisonner une première fois les légumes, puis les mettre dans un saladier de cristal. Masquer alors la salade avec le restant de la sauce mayonnaise et, sur cette sauce, on dressera en couronne ou en étoile des filets d'anchois tournés en spirales, des rouelles de truffes, le tout parsemé de câpres.

V

LÉGUMES ET PATES

Artichauts aux champignons.
Asperges au jambon.
Aubergines à la parisienne.
Aubergines farcies.
Carottes aux petits pois.
Cèpes à la Smitane.
Champignons à la bordelaise.
Champignons au gratin.
Chou farci.
Chou-fleur au gratin.
Chou au lard.
Croquettes de pommes de terre.
Croûte aux champignons.
Épinards à la maître d'hôtel.
Épinards au gratin.
Gratin de riz aux tomates.
Haricots blancs nouveaux à la bourgeoise.
Haricots verts aux beurre noir.
Haricots verts à la lyonnaise.
Lentilles à la paysanne.
Macaroni à l'italienne.
Marrons en purée.
Morilles à l'italienne.
Navets glacés.
Petits pois au lard ou au jambon.
Pilau de riz au gras.
Petits pois à l'ancienne
Pilau de riz au maigre.
Pommes de terre au lard.
Pommes de terre à la lorraine.
Pommes de terre farcies.
Riz à la créole.
Risotto ou riz à l'italienne.
Tomates aux œufs brouillés.

ARTICHAUTS AUX CHAMPIGNONS

5 artichauts.
Beurre : 20 grammes.
Champignons : 45 grammes.
Lard poitrine : 45 grammes.
Mie de pain : 75 grammes.
Oignons, carottes.
Bouquet garni.
Sel, poivre.
Vin blanc : 1 verre.
Bouillon : 1/2 verre.

Choisir 5 artichauts de taille moyenne, couper la pointe de chaque feuille de manière à rendre les artichauts aussi ronds que possible. Bien les laver et, après les avoir fait blanchir à l'eau bouillante pendant un quart d'heure, écarter soigneusement les feuilles du centre, retirer alors le foin ainsi que les quelques feuilles du cœur. Les garnir ensuite sur le fond et entre les feuilles au moyen de la préparation suivante : hâcher ensemble 2 échalotes, 45 grammes de champignons blanchis, un oignon, quelques lardons, une grosse boule de mie de pain, du persil, et, après avoir bien mélangé le tout, faire cuire cette farce dans un peu de bouillon et de beurre à feu très doux pendant un quart d'heure environ. Laisser tiédir et farcir, avec cette farce, les artichauts sur chacun desquels on posera une petite barde de lard. Ficeler chacun d'eux. Les placer ensuite dans une casserole foncée de lard, carotte coupée, oignon, bouquet garni. Faire prendre couleur à feu vif et mouiller d'un verre de vin blanc chaud. A moitié de cuisson, ajouter un peu de bouillon et achever de cuire à feu doux. Déficeler et servir après avoir arrosé les artichauts du jus de la cuisson.

ASPERGES AU JAMBON

Asperges vertes.
Jambon.
1 bouillon.
Bouillon : 85 grammes.

Mettre dans une casserole un peu de jus de viande, du bouillon et quelques tranches minces de jambon, sel, poivre, persil haché. Laisser cuire doucement, mouiller, si cela est nécessaire, avec un peu plus de bouillon, puis dégraisser et passer au tamis fin. L'on aura eu soin de préparer, d'autre part, des asperges vertes cuites au préalable dans de l'eau bouillante et salée, pendant douze à quinze minutes suivant leur grosseur. Vingt minutes avant de servir, les mettre dans notre sauce qui ne doit plus bouillir.

AUBERGINES À LA PARISIENNE

4 aubergines.
Lard : 65 grammes.
1 œuf.
Beurre.

Choisir 4 aubergines violettes. Les ouvrir en deux dans le sens de la longueur. En enlever la chair sans déchirer la peau. Hacher cette chair avec une viande quelconque bien cuite et rôtie, ajouter un peu de lard gras ou de la chair à saucisse, du sel, du poivre, 2 branches de persil. Emietter du pain rassis dans un jaune d'œuf et mêler ceci à la farce. Garnir, avec ce hachis, l'intérieur des aubergines, les saupoudrer de chapelure, les parer de quelques petits dés de beurre et les mettre cuire au four en mettant, au fond du plat, un peu d'huile et d'eau qui formeront avec le beurre une sauce avec laquelle on les arrosera le plus souvent possible. Cuisson : une bonne heure.

AUBERGINES FARCIES

3 aubergines.
Beurre : 70 grammes.

Choisir 3 aubergines, les partager en deux dans leur longueur. Enlever la plus grande partie de la pulpe intérieure. En faire une farce en la hachant avec du persil, des échalotes, du sel et poivre. Mettre ce mélange dans une casserole avec du beurre, le cuire à petit feu et en farcir les aubergines que l'on saupoudrera de chapelure. Passer au four après avoir arrosé les aubergines d'une goutte d'huile ou d'un peu de beurre fondu.

CAROTTES AUX PETITS POIS

Carottes nouvelles : 400 grs.
Pois fins (à écosser) : 3/4 de kg.
Beurre : 75 grammes.
Crème : 30 grammes.
2 œufs.
Sel, poivre.
Un peu de sucre.

Choisir de préférence de petites carottes de même grosseur, les tailler de forme régulière, les faire blanchir dans l'eau bouillante pendant une demi-heure, puis les égoutter. Les mettre ensuite dans un faitout avec un bon morceau de beurre, ajouter la même quantité de pois écossés, saler, poivrer, faire cuire un instant à couvert les légumes en secouant le faitout fréquemment. Mouiller alors avec un bon verre de bouillon et finir de cuire doucement en couvrant le récipient avec une assiette creuse contenant de l'eau que l'on renouvellera au fur et à mesure de l'évaporation. Goûter. Ajouter, si seulement besoin est, une petite cuillerée de sucre, puis, au moment de servir, battre dans le légumier 2 jaunes d'œufs avec 2 cuillerées de crème double et verser doucement les légumes en tournant toujours les œufs et la crème, afin de lier la sauce.

CÈPES À LA SMITANE

Cèpes : 1 kilogramme.
Beurre : 250 grammes.
Crème aigre.

Faites cuire, pendant deux à trois minutes, un kilogramme de cèpes frais, nettoyés et lavés dans de l'eau bouillante salée ; égouttez-les et faites-les sauter au Beurre. Préparez, d'autre part, une sauce béchamel à laquelle vous incorporez de la crème double aigre et un petit bouquet de cerfeuil. Assaisonnez, ajoutez les cèpes que vous achèverez de faire cuire à petit feu et sans les couvrir. Retirez le bouquet de cerfeuil, ajoutez un morceau de beurre et semez une pincée de cerfeuil haché sur votre plat, au moment de servir.

CHAMPIGNONS À LA BORDELAISE

Cèpes : 1 kilogramme. Citron. Huile.

Prenez des champignons qui soient gros, épais, fermes et nouvellement cueillis ; ôtez-en la peau, lavez-les, égouttez-les, ciselez-les légèrement par-dessous et faites-les mariner une heure et demie, dans de l'huile fine, avec sel et poivre. Cela fait, mettez-les sur le gril et retournez-les pour les faire griller des deux côtés ; dressez-les ensuite sur le plat et saucez-les avec de l'huile additionnée de persil et de ciboule hachés très fin, qu'on a fait chauffer ; arrosez-les d'un filet de vinaigre ou de jus de citron.

CHAMPIGNONS AU GRATIN

Champignons : 500 grammes.
Beurre : 80 grammes.
1 truffe.

Passez au beurre des champignons de couche, bien épluchés, dont vous réservez les queues. Hachez finement avec persil, échalote, une truffe et les queues des champignons mises à part ; saupoudrez de farine, mouillez avec du bouillon et un peu de jus. Faites réduire après avoir assaisonné ; mettez sur un plat ou dans des coquilles, saupoudrez de chapelure et faites prendre couleur au four.

CHOU FARCI

1 chou moyen.
1/4 de kilo de chair à saucisses.
Jambon, veau : 65 grammes.
2 œufs.
Moelle et lard.

Prendre un chou moyen bien pommé et bien blanc. Enlever les grosses feuilles qui sont généralement dures, faire blanchir et enlever le cœur, le rafraîchir et en exprimer l'eau. Préparer avec de la chair à saucisses, 2 jaunes d'œufs, de la moelle de bœuf, sel, poivre, épices, une bonne farce qu'on introduit à la place du cœur et entre chaque feuille. Redonner au chou sa forme ordinaire, le ficeler sans l'endommager et le faire cuire à la casserole avec un cervelas, bouquet garni, muscade, gros poivre. Le couvrir de bardes de lard et mouiller avec du bouillon. Le servir dégraissé avec un jus de jambon et de veau bien corsé.

CHOU-FLEUR AU GRATIN

1 petit chou-fleur.
Gruyère : 65 grammes.
Beurre : 65 grammes.
Farine et lait.

Choisir un beau petit chou-fleur. Le cuire à l'eau et l'égoutter. Le ranger, par morceaux, dans un plat, le recouvrir de fromage de gruyère râpé et d'une sauce béchamel, saupoudrer de fromage et de chapelure, arroser de beurre fondu, en disposer quelques morceaux par-dessus et faire gratiner vingt minutes au four.

CHOU AU LARD

1 gros chou vert.
Lard : 250 grammes.
Porc ou bœuf : 500 grammes.
Légumes.
1/2 saucisson.

Choisir un bon chou vert. Bien le laver et le diviser en plusieurs quartiers. Le faire bouillir à l'eau pendant vingt minutes, ajouter un quart de lard de poitrine coupé en gros dés, les retirer et les rafraîchir à l'eau froide, en extraire l'eau en pressant et achever de cuire avec un demi-saucisson cru, un morceau de lard et un morceau de bœuf ou de porc, que l'on servira en même temps, saler, poivrer, ajouter quelques légumes, girofle et persil. Dresser le chou cuit dans un grand plat, les morceaux de lard et de viande par-dessus et le saucisson en rondelles autour.

CROQUETTES DE POMMES DE TERRE

Pommes de terre : 1 kilogramme.
Beurre : 1/4.
2 œufs.

Faites bouillir un kilogramme de pommes de terre farineuses, passez-les et ajoutez un bon morceau de beurre, 2 jaunes d'œufs, sel, poivre et les 2 blancs battus en neige consistante. Mêlez bien le tout et formez avec cette pâte des boulettes de la forme que vous désirez et faites-les frire. C'est ce qu'on nomme des *pommes duchesses*.

CROÛTE AUX CHAMPIGNONS

Champignons de couche : 500 grammes.
Beurre.
2 œufs.
Farine.
1 croûte.

Après avoir épluché les champignons, coupez-les, suivant leur grosseur, en deux ou en quatre ; mettez-les dans une casserole et faites-les revenir dans du beurre avec un bouquet de persil ; mouillez avec du bon bouillon, ajoutez un peu de beurre manié de farine ; assaisonnez ; faites bouillir, ralentissez alors le feu et faites cuire très doucement. Avant de servir retirez le bouquet, faites une liaison de 2 jaunes d'œufs et servez sur une croûte de vol-au-vent commandée au pâtissier.

ÉPINARDS À LA MAÎTRE D'HÔTEL

Épinards : 1/2 kilogramme.
Épices (sel gris, poivre, muscade râpée).
Beurre : 125 grammes.
Croûtons frits.

Mettre les épinards dans de l'eau bouillante et les faire blanchir à cette eau jusqu'à ce que l'on puisse les écraser facilement sous le doigt. Les jeter aussitôt dans l'eau froide, les égoutter et en faire sortir l'eau, par pression. Les hacher grossièrement, les mettre à l'état sec dans une casserole et les faire chauffer de préférence au bain-marie. Ils perdront ainsi l'eau qu'ils peuvent encore contenir. Ajouter les épices (sel, gros poivre et muscade râpée). Quand ils seront chauds, ajouter un bon morceau de beurre qui ne doit pas bouillir ; bien les remuer et servir en ajoutant, si on le désire, des croûtons frits au beurre.

ÉPINARDS AU GRATIN

Épinards : 1 kilogramme.
4 à 6 œufs.
Beurre : 125 grammes.
Chapelure.
Huile.

Après avoir préparé vos épinards, comme ci-dessus, après avoir mélangé 2 ou 3 œufs battus par livre d'épinards, mettez-les dans un plat allant au feu, saupoudrez de mie de pain, arrosez de bonne huile d'olive et faites gratiner au four un quart d'heure.

GRATIN DE RIZ AUX TOMATES

Riz : 65 grammes.
3 tomates.
Beurre : 75 grammes.
Chapelure.

Faire cuire 65 grammes de riz, l'égoutter. Quand il sera sec, ajouter 3 tomates épluchées, bien mélanger. Ajouter beurre, sel, poivre, un demi-oignon finement haché. Disposer cette pâte dans un plat rond allant au four et bien beurré. Couvrir de chapelure et de petits morceaux de beurre disséminés ; faire achever la cuisson et prendre couleur à four modéré.

HARICOTS BLANCS NOUVEAUX À LA BOURGEOISE

Haricots écossés : 3/4 litre.
Beurre : 75 grammes.
Persil haché.
Sel, poivre.

Prendre 3/4 de litre de haricots fraîchement écossés. Les mettre à cuire dans de l'eau bouillante salée. Il est nécessaire que les haricots cuisent à gros bouillons. Après cuisson, les égoutter et les mettre tout de suite dans une casserole avec 75 grammes de beurre frais. Les faire sauter et ajouter un peu de poivre fin et du persil haché. Ajouter, en servant, soit un bon filet de vinaigre, soit le jus d'un demi-citron. Les haricots pourront être servis seuls ou avec un gigot de mouton rôti.

HARICOTS VERTS AU BEURRE NOIR

Haricots : 1/2 kilogramme.
Beurre : 125 grammes.
1/2 citron.

Faire cuire un demi-kilogramme de haricots. Les retirer ensuite. Mettre dans une casserole un bon morceau de beurre avec du persil. Avant qu'il ne soit tout à fait fondu, ajouter les haricots bien égouttés. Les sauter pendant quelques minutes et les servir avec un filet de vinaigre ou un jus de citron. Ils peuvent être préparés à la poêle de la même façon.

HARICOTS VERTS À LA LYONNAISE

Haricots verts : 800 grammes. Beurre.

Passez au beurre, dans une poêle, un ou deux oignons émincés pour qu'ils prennent belle couleur. Ajoutez, à ce moment, vos haricots verts cuits et bien égouttés, ajoutez sel, poivre, persil haché finement et faites sauter jusqu'à complète cuisson de l'oignon. Dressez sur un plat et servez très chaud.

LENTILLES À LA PAYSANNE

Lentilles : 125 grammes.
Lard de poitrine : 125 gr.
1 oignon.
Beurre : 20 grammes.
Bouquet garni, sel, poivre.

Trier et laver avec soin un quart de lentilles de la meilleure qualité. Après les avoir débarrassées de tout sable, les mettre dans un large saladier, les couvrir d'eau au double de leur volume et laisser tremper pendant douze heures. Au moment de s'en servir, les égoutter, mettre dans le faitout où elles cuiront 125 gr. de lard de poitrine coupé en petits dés, les lentilles par-dessus et mouiller, moitié eau, moitié bouillon, de telle sorte qu'elles soient complètement couvertes ; ajouter sel, poivre, un bouquet garni et un oignon. Faire cuire et bouillir doucement pendant deux heures environ. Ajouter de l'eau chaude aux lentilles au fur et à mesure de l'absorption de l'eau de cuisson. Oter l'oignon et le bouquet. Servir en ajoutant 20 grammes de beurre fin.

MACARONI À L'ITALIENNE

Macaroni : 140 grammes. Beurre : 85 grammes.
Gruyère et parmesan : 75 gr.

Faire cuire le macaroni dans de l'eau salée. Prendre ensuite un plat creux. Disposer dans ce plat, alternativement, une couche de macaroni et une autre de fromage de Parmesan. L'on arrosera ensuite avec du jus. Quand toutes les couches auront été ainsi disposées, l'on versera par-dessus du beurre fondu, à raison de 125 grammes pour un demi-kilogramme de macaroni.

MARRONS EN PURÉE

Marrons : 3/4 de kilogramme.
Beurre : 20 grammes.
Crème : 20 grammes.
Sel gris.

Prendre 3/4 de kilogramme de marrons. Leur enlever la première enveloppe brune. Les mettre à cuire à l'eau froide salée jusqu'à ce qu'ils cèdent sous le doigt. Enlever alors la pellicule qui les recouvre et les mettre dans une passoire à gros trous où on les pilera. Remettre alors cette purée sur le feu doux. Mélanger à cette purée un bon morceau de beurre et un peu de crème de lait. Laisser cuire dix minutes et servir très chaud.

MORILLES À L'ITALIENNE

Morilles : 500 grammes.
Vin blanc.
Beurre : 125 grammes.
1 citron.

Après avoir fait blanchir les morilles, sautez-les dans du beurre avec persil, sel, poivre, muscade ; mouillez avec un verre de vin blanc, faites cuire pendant une demi-heure à petit feu ; puis, les morilles étant suffisamment cuites, terminez avec quelques cuillerées de consommé mêlées à un roux, le jus de la moitié d'un citron, gros comme une noix de glace de volaille ; dressez avec une garniture de petits croûtons taillés en rond, passés au beurre, et servez.

NAVETS GLACÉS

Navets moyens : 2 kilogrammes.
Sucre.
Beurre : 125 grammes.

Epluchez 2 kilogrammes de beaux navets, donnez-leur une forme régulière et agréable, faites-les blanchir. Mettez dans une casserole un morceau de beurre ; quand il est presque fondu, saupoudrez d'une cuillerée de sucre en poudre, tournez, et, quand vous avez obtenu une belle couleur blonde, ajoutez vos navets, mouillez de bouillon, saupoudrez-les de sucre et faites-les bien dorer. Quand ils sont à point, dressez-les sur un plat, arrosés de leur jus.

PETITS POIS AU LARD OU AU JAMBON

Petits pois : 1/2 litre. Lard, jambon : 65 grammes.

Préparer un roux léger, y passer du lard de poitrine ou du jambon coupés en gros dés. Mouiller avec du bouillon. Ajouter les petits pois fraîchement écossés avec un bouquet de persil, ciboule, sel et poivre. Faire cuire à petit feu et servir soit seuls, soit comme garniture d'une entrée de viande ou de volaille.

PILAU DE RIZ AU GRAS

Riz : 125 grammes.
Safran.

Laver avec soin 125 grammes de riz dans de l'eau tiède. Le mettre, avec un litre de bon bouillon dans un vase hermétiquement clos et le placer sur un feu ardent. Lorsqu'il commencera à bouillir, délayer un peu de safran avec du bouillon et verser dans le vase. Faire ensuite bouillir, à gros bouillons, en tenant toujours le vase hermétiquement clos. Le riz crève, se durcit et le tout prend de la consistance. Le tout demandera environ une heure à une heure et demie de temps.

PETITS POIS À L'ANCIENNE

Petits pois : 1 litre.
Beurre : 125 grammes.
1 œuf.
Crème double.
Laitue.

Ayez un bon litre de petits pois fins que vous venez d'écosser ; tenez-les renfermés dans une serviette mouillée. Préparez, d'autre part, une laitue pommée, ficelez-la et placez-la dans une casserole avec vos pois écossés, une tige de sarriette verte, du sel, un peu d'eau (ce que nous ne conseillons plus) et un bon quart de beurre. Après un quart d'heure de cuisson, enlevez la laitue et, au moment de servir, liez avec un verre de crème double dans laquelle vous aurez délayé un jaune d'œuf très frais avec une pincée de poivre blanc et une cuillerée de sucre en poudre.

PILAU DE RIZ AU MAIGRE

Riz : 125 grammes. Beurre : 75 grammes.

C'est celui que les Turcs mangent habituellement. Il est cuit en vase clos de la même manière que le pilau gras, mais en remplaçant le bouillon par de l'eau et du sel. Après cuisson, faire des trous dans le riz avec le manche d'une cuiller de bois. Introduire dans chacun de ces trous du beurre frais ou du beurre roussi dans une poêle. Le beurre pénètre ainsi le riz et lui sert d'assaisonnement. Dégraisser au besoin et servir comme le pilau gras.

POMMES DE TERRE AU LARD

Pommes de terre de Hollande : 1/2 kilogramme.
Lard maigre : 125 grammes.
Légumes.

Prendre 125 grammes de lard maigre, le couper en dés et le faire revenir, à petit feu, avec du beurre et de la graisse. Mettre une pincée de farine, mouiller avec de l'eau chaude et bien mélanger. Quand on aura une quantité suffisante de roux, ajouter sel, poivre, un oignon et bouquet garni. Faire bien bouillir, puis couper dans ce roux un demi-kilogramme de pommes de terre de Hollande crues. Laisser cuire doucement et servir aussitôt.

POMMES DE TERRE À LA LORRAINE

Pommes de terre : 1 kilogramme.
3 œufs.
Beurre : 125 grammes.

Pelez un kilogramme de pommes de terre de Hollande. Râpez-les comme du fromage. Battez 3 œufs ; salez et poivrez, mélangez avec la pulpe obtenue. Ayez deux poêles ; dans l'une, faites chauffer, à couleur noisette, 50 grammes de beurre, dans lequel vous faites rissoler des petites boulettes de cette préparation, à feu doux, pendant dix minutes environ ; laissez-leur prendre, autant de temps, belle couleur dans la seconde poêle, et ainsi de suite. Dressez-les pour les servir avec une viande rôtie.

POMMES DE TERRE FARCIES

Pommes de terre : 1/2 kilogramme.
Chair à saucisse : 85 grammes.
Beurre.
Lait.
1 œuf.

Prendre 4 grosses pommes de terre bien conformées. Les peler, les faire cuire à demi, à l'eau salée. Les retenir et les creuser adroitement l'une après l'autre. Remplir le trou ainsi formé d'une farce de chair à saucisse, mie de pain trempée dans du lait, beurre, un jaune d'œuf, persil haché, poivre, sel, muscade, mouiller cette farce avec du jus ou du bouillon. En arroser chaque pomme de terre et faire cuire à four modéré.

RIZ À LA CRÉOLE

Riz Caroline : 125 grammes. Beurre et huile : 15 grammes.

Mettre 15 grammes de beurre et autant d'huile d'olive dans une casserole placée sur le feu. Lorsque le mélange est chaud, ajouter 125 grammes de riz Caroline épluché, mais non lavé. Agitez le riz jusqu'à ce qu'il ait belle couleur, ce qui permettra de l'obtenir égrené et non compact. Etant en effet grillé extérieurement, la fécule qu'il contient restera à l'intérieur du grain et ne formera pas colle avec le liquide. A ce point de cuisson et de coloration blond doré, ajouter un demi-litre de bon bouillon bouillant, sel, épices, une pointe de cayenne, et retirer au coin du feu, pour qu'il achève doucement, durant vingt minutes, d'absorber le bouillon et de parfaire sa cuisson.

RISOTTO OU RIZ À L'ITALIENNE

Riz Caroline : 100 grammes.
Lard de poitrine : 45 grammes.
Beurre : 40 grammes.
Gruyère râpé : 100 grammes.
Bouillon : 3/4 de litre.
Sel, poivre, oignons.

Couper en petits dés 45 grammes de lard fumé et un gros oignon. Mettre tout cela à dorer dans du beurre à feu demi-vif. Lorsque le lard et l'oignon auront pris une belle couleur, jeter dans la casserole 100 grammes de riz Caroline sans le laver et tourner toujours avec la cuiller pour que le tout devienne blond roux. Pendant ce temps, mettre à chauffer 3/4 de litre de bouillon. Verser celui-ci bouillant sur le riz, le lard et les oignons. Quand ils seront dorés, poivrer, saler, ajouter un bouquet garni et une pointe de safran. Faire cuire pendant une heure à feu très doux. Au moment de servir, ajouter, en tournant toujours 100 grammes de gruyère râpé qui doit fondre, mais non bouillir. Si le jus est trop abondant, faire évaporer avant d'incorporer le fromage.

TOMATES AUX ŒUFS BROUILLÉS

2 tomates.	Huile.
Ail, oignon, échalote.	3 œufs.

Faire cuire à la poêle, dans de l'huile d'olive, 2 tomates épluchées, pelées et vidées, avec ail, oignon et échalote hachés. Faire cuire un quart d'heure à feu modéré. Retirer et ajouter 3 œufs battus. Modérer le feu. Assaisonner et terminer à feu très doux en tenant et en remuant, saupoudrer de persil frit et servir avec des croûtons frits au beurre.

VI

ŒUFS

Fondue au fromage.

Œufs en cocotte.

Œufs au fromage.

Œufs au gratin.

Œufs farcis.

Œufs aux pointes d'asperges.

Omelette aux anchois.

Omelette au jambon.

Omelette aux fines herbes.

Omelette aux morilles.

Omelette aux pointes d'asperges.

Omelette aux pommes de terre.

Omelette au rognon.

Omelette aux tomates.

Omelette sud-américaine.

FONDUE AU FROMAGE

Mettez dans une casserole 6 jaunes d'œufs, 20 grammes de farine et une bonne pincée de fécule de pomme de terre ; mélangez bien le tout, ajoutez un verre de crème double et un bon morceau de beurre par petits morceaux à la fois. Faites bouillir quelques minutes en prenant garde que cela n'attache pas. Retirez sur le bord du fourneau, ajoutez sel, poivre et le fromage râpé. Remuez le tout et servez.

ŒUFS EN COCOTTE

Ayez autant de petites cocottes en terre ou en porcelaine que de convives, mettez dans chacune un petit morceau de beurre, cassez votre œuf sur le beurre chaud, faites cuire une minute et assaisonnez. Cette manière de présenter les œufs se prête à la plupart des apprêts déjà indiqués.

ŒUFS AU FROMAGE

5 œufs frais.
Gruyère râpé : 75 grammes.
Beurre : 60 grammes.
Vin blanc : 1/2 verre.
Persil, ciboule.

Mettre dans une casserole, 75 grammes de fromage de gruyère râpé avec 20 grammes de beurre, du persil et de la ciboule hachés et la valeur d'un verre à madère de vin blanc. Faire bouillir à petit feu jusqu'à ce que le fromage soit fondu. Battre légèrement 5 œufs entiers et les incorporer à cette masse de fromage. Continuer de remuer sans cesse ce mélange qui prendra à tout petit feu. Servir saupoudré d'une garniture de mie de pain passée au beurre roux. Pour faire cette garniture, l'on aura, au préalable, émietté un gros morceau de mie, et on l'aura mis au feu dans une petite casserole contenant 40 grammes de beurre blanc. La mie de pain s'imprégnera peu à peu de beurre et roussira lentement à côté du feu. La surveiller afin qu'elle ne brûle pas, tout en maniant les œufs au fromage.

ŒUFS AU GRATIN

Prendre un bon morceau de mie de pain. Le hacher. Mêler et faire gratiner avec du beurre, du persil, des jaunes d'œufs, un anchois, de la ciboule et une échalote. En garnir le plat que l'on posera sur un feu doux. Dès que l'on verra que le gratin commence à s'attacher, casser les œufs dessus, poivrer et saler. Passer la pelle rouge dessus et servir.

ŒUFS FARCIS

Faire cuire des œufs durs, les faire refroidir, enlever la coquille. Les couper en deux dans leur longueur, enlever le jaune. Mélanger ce jaune à de la mie de pain trempée dans du lait, et à quelques filets d'anchois, persil, civette, sel, poivre. Bien hacher et bien lier le tout. Garnir chaque moitié d'œuf de cette farce. Bien beurrer le fond d'un plat allant au four, y placer une mince couche de la farce, arranger les œufs au-dessus, les saupoudrer de chapelure, arroser d'un peu de beurre fondu et faire prendre couleur au four.

ŒUFS AUX POINTES D'ASPERGES

Coupez de petites asperges en petits pois ; n'en prenez que le tendre ; faites-les blanchir à l'eau bouillante ; mettez-les après dans une casserole avec un bouquet de persil, ciboule, un morceau de beurre ; passez-les sur le feu ; mettez-y une pincée de farine, mouillez avec un peu d'eau, faites cuire, assaisonnez avec un peu de sel et très peu de sucre ; la cuisson faite, il ne doit plus y avoir de sauce ; mettez-les dans le fond du plat que vous devez servir ; cassez dessus des œufs que vous assaisonnez de sel, gros poivre, un peu de muscade ; faites cuire et servez très chaud.

OMELETTE AUX ANCHOIS

Nettoyez et dessalez 6 anchois, essuyez-les, coupez-les par filets, faites une omelette avec 6 œufs ; quand elle est à moitié cuite, incorporez vos filets ; retournez-la et servez chaud, nature ou avec une sauce piquante.

OMELETTE AU JAMBON

Emincer fin du jambon d'York ou de Bayonne. Le passer au beurre dans une poêle à feu modéré. Battre, d'autre part, avec une fourchette, 3 à 4 œufs avec sel, poivre, une bonne cuillerée de lait. Jeter le tout sur le jambon avec un morceau de beurre et finir l'omelette comme d'ordinaire. La dresser sur un plat chaud, entourée de petits croûtons frits au beurre et sur lesquels on posera un peu de beurre frais manié de persil.

OMELETTE AUX FINES HERBES

Choisir des œufs frais, les casser en séparant les blancs des jaunes qui seront battus séparément. Hacher persil, échalotes, civette, estragon, cerfeuil, quelques feuilles d'oseille ou autres herbes à son goût. Ajouter alors les blancs et battre encore le tout pendant une ou deux minutes. Mettre de la bonne huile dans une poêle, y verser le mélange ci-dessus et faire l'omelette comme d'habitude.

OMELETTE AUX MORILLES

Epluchez et lavez bien des morilles, coupez-les et faites-les cuire dans du beurre avec du jus de citron, salez-les et, d'autre part, préparez vos œufs pour une omelette ordinaire, mettez les morilles au milieu, et achevez-la. On la sert sur la sauce de cuisson des morilles qu'on fait réduire avec un peu de velouté.

OMELETTE AUX POINTES D'ASPERGES

5 œufs.
Asperges : 200 grammes.
Beurre : 40 grammes.
Sel, poivre.

Choisir des asperges à pointes petites et vertes ou encore à pointes violettes. Les gratter légèrement sans les briser et les blanchir cinq minutes dans une eau bouillante salée. Les égoutter et les sécher dans un linge de toile. Faire cette opération de préférence quelques heures avant le repas. Couper les asperges en petits morceaux de un centimètre et les mettre cuire sans roussir dans une poêle contenant du bon beurre fin dont les pointes d'asperges doivent toutes s'imprégner. Battre vigoureusement 5 œufs entiers, avec sel et poivre, y incorporer les asperges et remettre à nouveau ce mélange dans la poêle beurrée. Cuire à feu moyen et rouler l'omelette de telle sorte que les asperges se trouvent au centre comme une farce.

OMELETTE AUX POMMES DE TERRE

Faire cuire quelques pommes de terre à l'eau salée. Les éplucher et les découper en tranches minces, puis les faire revenir à la poêle dans du beurre et assaisonner. Attendre qu'elles aient pris une belle couleur, beurrer un peu plus et jeter dessus les œufs battus. Bien mélanger le tout et achever l'omelette comme d'habitude.

Les pommes de terre pourront être remplacées, si on le désire, par des croûtons préalablement frits au beurre.

OMELETTE AU ROGNON

Faites sauter dans du beurre un rognon de veau coupé en tranches ou des rognons de mouton parés et dégorgés ; assaisonnez, ajoutez un demi-verre de vin blanc et bouillon. D'autre part, faites avec du beurre une omelette assaisonnée et, avant de la doubler, parsemez-y les rognons cuits ; attendez une minute et finissez l'omelette à l'ordinaire.

OMELETTE AUX TOMATES

Choisir quelques belles tomates. Les peler et supprimer les graines. Couper en petits morceaux. Les faire revenir au beurre, dans une poêle. Dans une autre poêle, après avoir battu les œufs avec la tomate roussie et mélangée aux épices, faire l'omelette comme à l'ordinaire.

OMELETTE SUD-AMÉRICAINE

Prendre une bonne poignée d'oignons et les éplucher. Former, d'autre part, un tas avec du persil, du cerfeuil et de la civette. Hacher ce tas avec des pignons épluchés. On fera ensuite revenir le tout à la poêle, dans un peu d'huile d'olive, en évitant toutefois de faire rissoler. Hacher également une tomate avec un restant de homard cuit. Ajouter ce hachis dans la poêle. Bien remuer le tout et laisser cuire environ deux minutes. Dans une assiette contenant un peu de persil haché, du sel, du poivre et un morceau de beurre, battre les œufs. Verser encore cette préparation dans la poêle tout en remuant. Lorsqu'on verra que l'omelette prend, glisser en-dessous, en soulevant avec précaution, quelques gouttes d'huile ou un peu de beurre pour qu'elle n'attache point et aussi pour la mieux dorer. Au moment voulu, la renverser sur un plat et faire cuire à four modéré jusqu'à ce que l'autre côté de l'omelette ait également pris belle couleur. Servir alors très chaud dans un plat que l'on aura, au préalable, également chauffé.

VII

POISSONS ET CRUSTACÉS

Anguille de mer rôtie.
Barbue sauce tomate.
Bar sauce ravigote.
Brandade de morue.
Brochet à la tartare.
Cabillaud à la hollandaise.
Carrelet au gratin.
Colin à la sauce hollandaise.
Coquilles de turbot.
Crevettes à la crème.
Daurade grillée.
Écrevisses à la marinière.
Éperlans au beurre noir.
Escalopes de saumon.
Filets de grondin au gratin.
Filets de soles sauce crevettes.
Goujons frits.
Grenouilles en beignets.
Harengs frais, sauce moutarde.
Homard à l'américaine.
Langouste à l'italienne.
Maquereaux de Dieppe grillés.
Maquereaux à la normande.
Matelote d'anguille.
Merlans au gratin.
Merlans aux tomates.
Morue à la provençale.
Moules à la marinière.
Perches à la tartare.
Raie à la sauce piquante.
Rougets grillés.
Sardines gratinées aux champignons.
Sole à la provençale.
Sole meunière.
Tanches à la bourguignonne.
Truites à la crème.
Turbot à la calaisienne.
Vives à la maître d'hôtel.

ANGUILLE DE MER RÔTIE (OU CONGRE)

Congre : 750 grammes.
Crème double : 60 grammes.
Beurre : 60 grammes.
Vin blanc : 1/2 verre.
Eau : 1/2 verre.
Sel, poivre, citron.
Croûtons frits.

Se procurer un beau morceau de milieu de congre. Bien le nettoyer et le débarrasser des arêtes. Le dresser dans un plat allant au four, avec un bon morceau de beurre, du sel, du poivre, un demi-verre de vin blanc et un demi-verre d'eau. Faire cuire une heure à four chaud en ayant soin d'arroser souvent pour qu'il prenne belle couleur. Avant de retirer du four, ajouter une sauce faite au préalable sur un coin du feu afin d'éviter l'ébullition. Cette sauce sera composée de : un verre de crème double, 50 grammes de beurre fondu et le jus d'un demi-citron, le tout bien mélangé. Arroser le rôti de cette sauce et servir sur des demi-rondelles de citron alternant avec des croûtons frits.

BARBUE SAUCE TOMATE

1 petite barbue.
1/2 livre de tomates.
Beurre : 30 grammes.

Choisir une barbue assez petite, l'ébarber, la laver et l'essuyer. L'enduire ensuite d'huile d'olive et la faire griller à gril bien chaud en la tenant surveillée pour qu'elle n'attache pas et qu'elle puisse cuire de tous côtés. Lorsque le poisson sera entièrement cuit, le dresser sur un plat et le servir avec une sauce tomate légère à part, ou étalée sous le poisson grillé.

BAR SAUCE RAVIGOTE

Bar : 2 kilogrammes.
Vinaigre.
Vin blanc : 1/2 litre.
Légumes.
Cornichons.
Beurre : 125 grammes.

Parez, lavez et videz un bar de 2 kilogrammes, faites-le cuire dans un bon court-bouillon composé d'eau salée, un quart de litre de vinaigre, un demi-litre de vin blanc, laurier, thym, persil, oignon et carottes coupées en rondelles, où vous le laissez cuire de quinze à vingt minutes au plus. Levez le poisson, avec précaution, lorsque l'eau commence à refroidir mais ni trop tôt ni trop tard, afin qu'il conserve sa chaleur, et servez-le avec la sauce suivante.

Faites blondir à la casserole 25 gr. de beurre avec une pincée de farine en tenant remué ; mouillez avec de l'eau du court-bouillon, battez votre roux et laissez mijoter près du feu. Dans une autre petite casserole, faites bouillir quelques secondes un verre de vinaigre, ajoutez aussitôt une poignée de câpres, échalotes et 2 gros cornichons hachés ; passez la sauce sur le poisson et mettez persil, cerfeuil, estragon hachés à revenir dans un peu de beurre, pour lier votre sauce.

BRANDADE DE MORUE

Morue : 560 grammes.
Huile d'olive : 75 grammes.
Persil haché : 8 grammes.
Ail haché.
Lait : 1/2 verre.

Choisir un beau filet de morue. Le mettre à dessaler pendant vingt-quatre heures dans de l'eau froide plusieurs fois renouvelée. Faire blanchir ensuite la morue dans une eau sans sel et, quand elle sera sur le point de bouillir, la retirer au coin du feu sans enlever l'écume. Lorsqu'on la sentira douce et friable sous le doigt, bien l'éplucher, ôter les arêtes et les peaux. La mettre dans une casserole avec un jus de citron et une très petite quantité d'huile d'olive. La casserole étant restée au chaud, prendre un pilon et piler la morue, en la tenant de temps en temps arrosée d'un peu d'huile. Ce travail pourra être facilité en ajoutant, petit à petit, un demi-verre de lait. Lorsque la brandade sera réduite en une purée onctueuse, ajouter un peu de poivre blanc et la valeur d'une cuillerée de persil haché avec une très petite gousse d'ail. Rapprocher la casserole du feu, faire chauffer au feu doux sans bouillir et servir chaud. Réchauffer au bain-marie.

BROCHET À LA TARTARE

1 brochet. Huile d'olive. Champignons.

Préparer et couper le brochet par morceaux. Le faire ensuite mariner avec de l'huile d'olive, du sel, du gros poivre, du persil, de la ciboule, des champignons et deux échalotes. Faire avec tout cela un hachis très fin. Faire tenir la marinade après chaque morceau, les paner et les faire cuire sur le gril en versant dessus le reste de la marinade. Faire prendre belle couleur aux morceaux et servir ensuite, à sec, sur le plat avec une bonne rémoulade.

CABILLAUD À LA HOLLANDAISE

Cabillaud : 650 grammes.
Pommes de terre nouvelles : 375 grammes.
Sel fin.
Beurre : 75 grammes.
1 citron.

Choisir un cabillaud de taille moyenne pour pouvoir le faire cuire entier. Le laver, le vider, lui ficeler la tête et le faire mariner couvert de sel pendant vingt-quatre heures. Le mettre dans une poissonnière trois heures avant de le servir et verser dessus de l'eau bouillante. Le tenir sur feu doux jusqu'à ce qu'il écume en évitant toutefois de le laisser bouillir. Le laisser ainsi pocher à la même température pendant deux heures et demie. Prélever une partie de son court-bouillon et y faire cuire une dizaine de petites pommes de terre de Hollande épluchées. Au moment de servir, égoutter le poisson, le débrider, le dresser sur une serviette pliée à la grandeur d'un plat chaud, l'entourer d'une couronne de pommes de terre, parer le plat de quartiers de citron et servir à part, dans une saucière, du beurre très frais, légèrement salé, fondu au bain-marie.

CARRELET AU GRATIN

1 carrelet de 500 grammes.
Beurre.
1 verre de vin blanc.

Placez sur un plat allant au four, un bon morceau de beurre frais, des épices et des fines herbes hachées ; posez dessus un beau carrelet bien nettoyé, arrosez d'un verre de vin blanc, couvrez de chapelure et d'un peu de beurre et faites cuire au four.

COLIN À LA SAUCE HOLLANDAISE

Colin : 560 grammes.
1 dizaine de pommes de terre de Hollande.
Sel, poivre.
Sauce hollandaise.
1 oignon et demi.
Bouquet garni.
Citron

Prendre un beau milieu de colin. Le laver soigneusement et le mettre à cuire dans la poissonnière à l'eau froide avec un oignon et demi coupé en tranches, une tranche de citron, du thym, du laurier, du sel et du poivre. Lorsque l'eau commencera à bouillir, régler le feu pour que l'ébullition soit assez douce et que le poisson ne s'écrase pas. Faire bouillir pendant cinq minutes, puis enlever le colin que l'on tiendra au chaud pendant que, forçant la cuisson du court-bouillon, l'on y mettra à cuire une dizaine de pommes de terre de Hollande épluchées. Pendant ce temps, peler le colin, en ôter l'arête du milieu et les petites arêtes s'il y a lieu, puis dresser le morceau entier sur un plat chaud. L'entourer de pommes de terre bien égouttées et servir sauce à part ou masqué d'une sauce hollandaise à volonté.

COQUILLES DE TURBOT

Reste de turbot.
Beurre : 125 grammes.
2 œufs.
Champignons : 125 grammes.
Chapelure.

Avec les restes d'un turbot cuit au court-bouillon, vous pouvez faire d'excellentes coquilles. Emincez les chairs de votre poisson et garnissez-en des coquilles en ajoutant la sauce suivante :

Avec un bon morceau de beurre et une cuillerée de farine, préparez un roux blanc que vous mouillez avec un peu de bouillon, en ajoutant sel et muscade ; laissez bouillir dix minutes au coin du fourneau et épaissir. Mettez dans ce blanc vos restes de poisson, liez avec des jaunes d'œufs, et si vous voulez, des lames de champignons blanchis à part. Garnissez vos coquilles, saupoudrez de chapelure et mettez au four quelques minutes. On peut utiliser, de même, des restes d'autres poissons, des cervelles, des débris de volaille, etc.

CREVETTES À LA CRÈME

Crevettes : 250 grammes.
Beurre : 50 grammes.
Crème double.

Choisir 250 grammes de crevettes. Les éplucher et, dans un plat allant sur le feu, mettre 3 cuillerées de bonne crème double, la même quantité de beurre ainsi que des fines herbes très finement hachées. Le tout très bien poivré avec du poivre blanc. Y ajouter les queues des crevettes et laisser mijoter dix minutes à feu doux.

DAURADE GRILLÉE
SAUCE RÉMOULADE

Daurade : 560 grammes.
Huile : 30 grammes.
1 citron.

Bien nettoyer les 560 grammes de daurade, l'écailler et faire des deux côtés quelques incisions. La rouler dans l'huile, assaisonner de sel et de poivre. La faire griller à feu modéré pour que la chaleur la pénètre peu à peu, en la tenant arrosée de quelques gouttes d'huile pour éviter qu'elle ne se dessèche. Quand elle sera cuite, la dresser sur un plat ovale entourée de tranches de citron et servir à part une bonne rémoulade.

ÉCREVISSES À LA MARINIÈRE

1 douzaine et demie d'écrevisses ordinaires.
Beurre : 65 grammes.
1 quart et demi de vin blanc.
1/2 citron.

Prendre une douzaine et demie d'écrevisses, les faire cuire, après les avoir châtrées et débarrassées des petites pattes, dans un quart et demi de vin blanc bien épicé. Faire blondir, par une cuisson à feu doux, une cuillerée de farine et ajouter le court-bouillon. Remuer, laisser réduire à grand feu, poivrer davantage si cela est nécessaire et lier avec du bon beurre mélangé avec du jus de citron.

ÉPERLANS AU BEURRE NOIR

Éperlans : 250 grammes.
Vin blanc.
Beurre : 50 grammes.
1/2 citron.

Prendre 250 grammes d'éperlans, les nettoyer et les mettre dans un panier à friture que l'on plongera dans un court-bouillon composé de vin blanc, eau, poivre écrasé, thym, céleri, ail, oignons émincés, sel, le tout suffisamment cuit. Attendre cinq minutes, puis retirer les éperlans du panier et les dresser sur un plat chaud. Verser dessus le jus du citron, du beurre fondu et servir aussitôt.

ESCALOPES DE SAUMON SAUCE ITALIENNE

Saumon : 450 grammes.	1 citron.
Beurre : 40 grammes.	Sel, poivre, persil.

Choisir un beau morceau de saumon bien frais coupé du côté de la queue. Après l'avoir très soigneusement lavé, le couper en tranches de 2 centimètres d'épaisseur et enlever la peau. Les escalopes ainsi préparées seront mises à égoutter dans un linge blanc et dorées dans un sautoir contenant du beurre légèrement roussi. Saler, poivrer et ajouter du persil finement haché. Lorsque chaque côté du saumon sera doré, couvrir le sautoir et achever la cuisson pendant un quart d'heure environ. Ces escalopes seront présentées à table, dressées sur un plat chaud. Arroser avec le peu de jus de cuisson, garnir de demi-rondelles de citron et servir à part une sauce italienne.

FILETS DE GRONDIN AU GRATIN

3 grondins moyens.
Beurre : 125 grammes.
Moules.
Crevettes.
Vin blanc.

Levez les filets de plusieurs grondins ; parez-les dans un plat, allant au four, préalablement bien beurré ; saupoudrez de 125 grammes de champignons, 2 oignons et persil bien hachés ; mettez autour un demi-litre de moules épluchées, quelques queues de crevettes, des champignons tournés ; salez, poivrez, mouillez avec du bouillon, un verre de vin blanc, couvrez de chapelure, ajoutez quelques morceaux de beurre et faites bouillir au four, vingt minutes, pour donner belle couleur.

FILETS DE SOLES SAUCE CREVETTES

2 soles : 1 kilogramme.
Champignons : 125 grammes.
Crevettes.
Beurre.
1 citron.

Après avoir levé et paré les filets de 2 belles soles, on les range dans un plat, avec sel, poivre et un peu de jus de cuisson de champignons ou du bouillon blanc ; lorsqu'ils sont cuits, on égoutte la cuisson et on la fait réduire, puis on range les filets de sole dans le plat où l'on désire les servir et on garnit de champignons et de queues de crevettes épluchées et dont on aura pilé les têtes avec un peu de beurre frais, puis passé dans un tamis ou une passoire fine ; faire un petit beurre manié avec un petit peu de farine que l'on met dans la cuisson et l'on finit avec le beurre crevette, du beurre frais et un bon jus de citron ; servir bien chaud.

GOUJONS FRITS

Goujons : 250 grammes.
Farine.
Huile d'olive.
1 œuf.

Prendre 250 grammes de goujons. Les écailler, les vider et les essuyer avec beaucoup de précautions, sans les laver. Les plonger dans de la friture bouillante après les avoir saupoudrés de farine. Les retirer après cinq à six minutes de cuisson pour les servir en buisson avec des bouquets de persil frit. Pour la friture, employer l'huile d'olive de préférence à la graisse.

GRENOUILLES EN BEIGNETS

3 douzaines de grenouilles.
Huile.
1 citron.
Farine.
1 œuf.

Ayez 2 ou 3 douzaines de belles grenouilles parées, faites-les mariner une heure, dans 2 cuillerées d'huile d'olive, un jus de citron, du persil haché, sel et poivre, en les tenant remuées de temps en temps.

Préparez, d'autre part, une pâte à frire légère, trempez-les dans cette pâte et cuisez-les à friture chaude, pour les servir tout de suite, dorées et croustillantes, sur une serviette pliée, avec persil frit.

HARENGS FRAIS SAUCE MOUTARDE

6 harengs. Huile d'olive. Moutarde.

Prenez 6 harengs, videz-les par les ouïes, écaillez-les, essuyez-les ; mettez-les sur un plat de faïence, arrosez-les d'huile, saupoudrez-les légèrement de sel fin, ajoutez quelques brins de persil et retournez-les dans cet assaisonnement. Quinze minutes avant de servir, faites-les griller, en les retournant trois fois de chaque côté ; dressez-les sur un plat arrosés d'une sauce au beurre à laquelle vous ajouterez une cuillerée à bouche de moutarde, que vous ne ferez point bouillir.

HOMARD À L'AMÉRICAINE

1 homard.
Vin blanc et cognac.
Beurre.
Tomates et épices variées.

Choisir un homard vivant pas trop grand. En faire des morceaux en commençant par la queue. Mettre dans une casserole de l'huile d'olive et du beurre par moitié. Y jeter les morceaux de homard. Fendre la carapace en deux et verser dans un bol tout le liquide obtenu ainsi que tout l'intérieur. La carapace et les pattes seront coupées en deux morceaux. Puis faire partir le homard ainsi dépecé à grand feu, pendant cinq à six minutes, en ayant soin de le sauter de temps en temps jusqu'à ce qu'il soit rissolé. Verser dessus un verre de bon vin et un verre de cognac, puis faire flamber. Ajouter ensuite une gousse d'ail et une grosse pincée d'échalote. Hacher alors la pulpe de deux tomates. Epicer fortement et couvrir la casserole. Laisser cuire vingt minutes. Dresser ensuite le homard en pyramide et faire réduire la cuisson en y ajoutant un peu de consommé et une pointe de cayenne.

Au moment de servir, verser le liquide et l'intérieur que l'on avait mis en réserve, avec un morceau de bon beurre. Cela permettra de lier la cuisson. Verser sur le homard, dresser et servir.

LANGOUSTE À L'ITALIENNE

1 petite langouste pour 3 personnes.
Champignons : 65 grammes.
1 truffe.
1 brioche.
Lait et œufs.

Choisir une belle petite langouste. La faire cuire et la laisser refroidir. Eplucher les pattes et couper la queue en rondelles. Mettre dans un mortier tous les déchets, œufs de langouste compris, avec une petite brioche détrempée dans du lait. Piler le tout. L'on obtiendra ainsi une mousse rose que l'on passera en ajoutant une sauce béchamel. Ranger les morceaux de langouste dans un plat allant au feu et les recouvrir de la mousse ci-dessus. Y poser des champignons et quelques rondelles de truffe. Cela ne demandera que quelques minutes de cuisson. On mettra tout autour et comme garniture des croûtons frits au beurre et on servira très chaud.

MAQUEREAUX DE DIEPPE GRILLÉS SAUCE TOMATE

3 maquereaux.
Huile : 30 grammes.
Chapelure : 30 grammes.
Sel, poivre.
Sauce tomate : 1 verre.
Persil haché.

Choisir 3 maquereaux moyens et frais. Vider, laver, essuyer, ciseler sur les deux côtés, puis les enduire de bonne huile avant de les rouler dans de la chapelure fine. Les faire ensuite griller à feu modéré dessus et dessous, afin qu'ils n'attrapent pas un coup de feu. L'on aura au préalable préparé une sauce tomate assez épaisse et bien relevée, que l'on aura versée et tenue au chaud dans un plat long, creux, allant au feu. Lorsque les maquereaux seront cuits, les coucher l'un à côté de l'autre, dans cette sauce et les saupoudrer de persil finement haché.

MAQUEREAUX À LA NORMANDE

6 petits maquereaux. Beurre. Oseille.

Cet excellent poisson qu'on sert le plus souvent sur le gril, sans autre préparation, est délicieux à la façon normande, c'est-à-dire qu'avant de le griller il faut l'envelopper de feuilles d'oseille bien beurrées. Ce simple apprêt leur communique une saveur acidulée et fraîche qui est exquise.

MATELOTE D'ANGUILLE

Faire un roux et y passer de petits oignons. Faire prendre couleur à ces oignons et y ajouter du beurre, des champignons, un bouquet garni, du sel, du poivre, de la muscade et une feuille de laurier. Verser dessus moitié vin rouge et bouillon gras ou maigre. Ajouter à cela l'anguille coupée en tronçons. L'on fera cuire à grand feu pendant une demi-heure environ. Dans le cas où la sauce ne serait pas assez liée, on ajouterait un peu de beurre préalablement mélangé avec un peu de farine. Avant de servir, passer au beurre quelques croûtons de pain, bien façonnés, qu'on mettra tout autour de la matelote.

On obtiendra également un très bon plat en joignant à l'anguille d'autres poissons tels que carpe, brochet, barbillon et quelques écrevisses.

MERLANS AU GRATIN

Merlans : 3/4 de kilogramme.
Beurre : 45 grammes.
Champignons : 100 grammes.
Vin blanc : 1 verre et demi.
Eau : 1/2 verre.
Sel, poivre, persil.

Choisir 3 beaux merlans, les nettoyer et les ciseler en leur laissant foie, laitance et œufs. Les mettre sur un plat allant au four enduit de beurre fondu. Assaisonner avec sel, poivre et fines herbes hachées. Mouiller avec la valeur d'un verre et demi de vin blanc coupé d'eau et faire partir à tout petit feu. Emincer les champignons et les blanchir dans du beurre. Ajouter à cette garniture du persil haché et verser sur les merlans à moitié de leur cuisson. Couvrir de chapelure, disposer ça et là quelques morceaux de beurre, faire gratiner à feu doux pendant vingt à vingt-cinq minutes.

MERLANS AUX TOMATES

2 merlans.
Tomates : 375 grammes.
Huile d'olive : 90 grammes.
Sel, poivre.
Persil haché.

Pour deux merlans moyens, prendre 375 grammes de tomates. Vider, laver et essuyer les deux merlans. Les couper ensuite en tranches épaisses en supprimant les têtes. Passer les tranches de poisson dans la farine et les faire frire à la poêle, des deux côtés, dans de la bonne friture d'huile d'olive, jusqu'à ce qu'elles aient pris bonne couleur. Tenir au chaud. D'autre part, couper par moitié les tomates dont on enlèvera les pépins. Mettre de l'huile dans une autre poêle, y faire revenir et cuire les tomates, des deux côtés, saler, poivrer et laisser au feu une demi-heure. Dresser les morceaux de merlan dans un plat, les entourer de tomates et arroser avec le fond de la cuisson que l'on passera au tamis et que l'on saupoudrera de persil finement haché.

MORUE À LA PROVENÇALE

Morue : 560 grammes.
Beurre : 75 grammes.
Échalote, ail.
Persil, citron.
Poivre en grains.
Huile d'olive : 30 grammes.
Gruyère râpé : 45 grammes.
Chapelure : 20 grammes.

Prendre un beau filet de morue. Le faire dessaler pendant vingt-quatre heures et le mettre à cuire à l'eau froide. Au moment de l'ébullition de l'eau, la retirer du plein feu et la laisser frissonner dix minutes. La morue est cuite, l'égoutter. Préparer dans un plat allant au four et dans lequel on servira un assaisonnement composé d'une échalote, d'une petite gousse d'ail et de 2 brins de persil, le tout finement haché et servant à garnir le fond du plat. Ajouter par-dessus quelques tranches de citron sans l'écorce ni les pépins, quelques grains de poivre grossièrement cassés et 2 cuillerées d'huile d'olive. Reprendre la morue, en enlever la peau et toutes les arêtes, la ranger dans le plat, la recouvrir de fromage de gruyère râpé, puis de chapelure et parsemer le tout de petits morceaux de beurre. Couvrir, mettre au four, avec feu dessus et dessous, faire mijoter très doucement et servir lorsque le tout aura pris une belle couleur.

MOULES À LA MARINIÈRE

Moules : 3 litres.
Beurre : 60 grammes.
Mie de pain : 40 grammes.
Vin blanc : 3/4 de verre.
Persil haché, poivre.
1 citron.

Prendre 3 litres de moules que l'on mettra à tremper dans une bassine d'eau. Les gratter, les brosser avec soin et les laver dans plusieurs eaux jusqu'à ce que l'eau soit claire. Les mettre ensuite sans eau ni beurre dans une casserole et celle-ci sur un feu vif. Couvrir. Lorsque les moules commenceront à s'ouvrir, découvrir la casserole et au fur et à mesure qu'elles s'ouvrent, placer les moules dans un plat en leur enlevant une des coquilles et tenir au chaud. D'autre part, faire cuire dans du beurre une forte pincée de persil haché, poivrer et mouiller les 3/4 d'un verre de vin blanc. Laisser cuire vingt minutes. Pendant ce temps, émietter dans les deux mains une grosse boulette de mie de pain rassis. Ajouter à la sauce un demi-verre d'eau des moules passées au tamis. Remettre les moules. Y ajouter un ou deux bouillons, puis la mie de pain et lier le tout d'un bon morceau de beurre fin avec du jus de citron. Servir très chaud, saupoudré de persil haché dans des assiettes chaudes.

PERCHES À LA TARTARE

3 perches.
Champignons : 125 grammes.
Légumes.
Huile.
1 citron.
Beurre.
3 œufs.

Ayez 3 perches moyennes, videz et écaillez-les ; hachez persil, échalotes, fines herbes et champignons. Faites mariner vos perches dans 2 cuillerées d'huile d'olive, jus de citron, sel et poivre ; laissez-les deux heures dans cette marinade ; passez ensuite vos herbes et la composition au beurre, ajoutez la marinade et 3 jaunes d'œufs battus ; versez le tout sur vos poissons, panez deux fois, faites griller et servez sur une sauce tartare.

RAIE À LA SAUCE PIQUANTE

Raie : 3/4 de kilogramme.
Sel, poivre.
Bouquet garni, persil.

Choisir une petite raie bouclée, bien la nettoyer et bien la laver, en réservant le foie.

Remplir une casserole aux trois quarts d'eau, y placer la raie, saler, poivrer, ajouter le bouquet garni et faire cuire à feu demi-vif. Au premier bouillon, ajouter le foie, puis retirer du plein feu. Laisser la raie pocher pendant vingt-cinq minutes à côté du fourneau. Sortir ensuite la raie de son eau de cuisson. Enlever, au moyen d'un couteau, la peau de chaque côté et la servir après l'avoir arrosée d'une sauce piquante. On peut aussi la dresser entourée de persil. Servir alors la sauce piquante dans une saucière.

ROUGETS GRILLÉS À LA MAÎTRE D'HÔTEL

3 rougets ordinaires.
Huile.
Beurre : 65 grammes.
Chapelure.

Choisir 3 rougets ordinaires très frais. Sans les écailler ni les vider, les essuyer avec un linge après un lavage rapide. Les assaisonner d'huile d'olive, de sel et de poivre. Si on le désire, couvrir les rougets d'un peu de chapelure fine et les poser sur un gril bien chaud. Les retourner et, quand ils seront bien cuits, les ranger sur un plat, arrosés d'une bonne sauce maître d'hôtel.

SARDINES GRATINÉES AUX CHAMPIGNONS

12 sardines fraîches.
1 merlan pour la farce.
1 verre de vin blanc.
Beurre : 30 grammes.

Ecaillez et supprimez la tête de vos sardines, fendez-les pour en retirer l'arête. Etalez-les sur votre planche, la peau en dessous, assaisonnez-les et étendez, sur chacune, de la farce à quenelle de poisson. Reconstituez-les et disposez-les entières dans un plat beurré. Arrosez d'un verre de vin blanc, ajoutez sel, poivre et faites cuire au four sept à huit minutes. Liez la sauce avec un morceau de beurre.

SOLE À LA PROVENÇALE

Sole : 450 grammes.
Huile d'olive : 45 grammes.
3 oignons.
Ail, persil.
Sel, poivre.
Vin blanc : 1/2 verre.
1 citron.

Choisir une très belle sole que l'on écorchera sur chaque face. La vider et la laver très soigneusement ; puis la mettre à égoutter et sécher dans un linge de toile. Fendre ensuite la sole sur le dos de la tête à la queue et jusqu'à l'arête. Avec quelques branches de persil et une gousse d'ail préparer un hachis très fin que l'on glissera dans l'ouverture de la sole. Saler avec du sel fin, poivrer, mettre un peu de muscade râpée, puis placer la sole dans un plat creux allant au four. Verser dessus quelques cuillerées d'huile d'olive et un demi-verre de bon vin blanc. Faire cuire au four, à feu doux, en arrosant de temps à autre pour éviter qu'elle ne dessèche. Pendant ce temps éplucher 3 beaux oignons et les couper en dés, les faire bien frire et les placer autour de la sole cuite. Arroser d'un jus de citron et servir très chaud.

SOLE MEUNIÈRE

3 soles : 560 grammes.
Beurre : 100 grammes.
Farine : 8 grammes.
Persil haché.
Lait : 1 verre.
1 citron et demi.

Choisir 3 soles de même grosseur moyenne. Les vider, les débarrasser de leur peau, puis laver, essuyer et faire tremper dans du lait salé. Les égoutter et les passer dans de la farine. Mettre dans une grande poêle 100 grammes de beurre, le faire fondre jusqu'à ce qu'il ait prit une belle couleur noisette. Ranger les soles dans ce beurre et leur faire prendre couleur des deux côtés. Entre temps, exprimer le jus d'un citron et le réserver. Lorsque les soles seront cuites, les dresser sur un plat chaud, les saler, poivrer légèrement et verser dessus le jus du citron, puis le beurre de cuisson. Saupoudrer le tout de persil finement haché et mettre tout autour, avant de servir, de minces tranches de citron.

TANCHES À LA BOURGUIGNONNE

2 tanches : 1 kilogramme.
Beurre : 125 grammes.
1 bouteille de vin rouge.
Fines herbes.

Echaudez, écaillez et videz 2 tanches d'eau vive ; placez-les dans un plat bien beurré, mouillez-les avec une bouteille de bon vin rouge ; coupez en rondelles deux oignons, faites-les revenir légèrement dans le beurre, puis mettez-les autour des tanches ; ajoutez sel, poivre, thym, laurier et feuilles de persil. Mettez le tout au four ; arrosez souvent avec le fond, laissez réduire à un tiers pour que la cuisson soit complète. Goûtez et servez.

TRUITES À LA CRÈME

3 petites truites.
Farine.
Crème, beurre.

Choisir 3 petites truites bien fraîches. Bien les vider et les laver. Les rouler ensuite dans la farine et les faire frire au beurre. Préparer d'autre part un roux blanc dans lequel on fera frire du persil cassé en petites branches. Y ajouter de la bonne crème et tourner jusqu'à ce qu'elle soit bien liée.

Placer les truites dans cette sauce, ajouter le beurre de la friture qui doit être peu abondant, saler, poivrer, agiter, laisser pousser quelques bouillons et servir bien chaud.

TURBOT À LA CALAISIENNE

1 turbot : 3/4 de kilogramme.
Beurre : 200 grammes.
Farine : 20 grammes.
Madère : 1/4 verre.
Sel, poivre.
Persil haché.

Choisir 3/4 de kilogramme d'un beau turbot. Le vider et le laver soigneusement, puis le mettre à égoutter et l'essuyer. Le ranger alors dans un plat allant au four et le recouvrir de beurre fondu, de persil haché, de sel, de poivre et d'un peu de muscade râpée. Le laisser ainsi pendant une heure dans cette sorte de marinade ; puis au bout de ce temps, le faire cuire au four doux. Préparer d'autre part une sauce ayant la composition suivante : 25 grammes de beurre que l'on aura mis dans une petite casserole et une grande cuillerée de farine que l'on aura mêlée au beurre avec un peu d'eau bouillante. Tourner le mélange sur le feu pendant un quart d'heure, ajouter quelques champignons émincés et passés au beurre avec le jus de leur cuisson, le tout additionné d'un verre à bordeaux de madère. Ajouter un peu de poivre et laisser bouillir. Lorsqu'il est cuit, arroser de la sauce ci-dessus, passer quelques minutes au four et servir.

VIVES À LA MAÎTRE D'HÔTEL

Vives : 1 kilogramme. Beurre : 125 grammes.
Huile d'olive.

Incisez-les légèrement des deux côtés ; faites-les mariner dans de l'huile d'olive, avec un peu de sel et du persil ; faites-les cuire sur le gril et masquez-les d'une sauce à la maître d'hôtel. On peut les servir de même avec une *sauce aux câpres*.

VIII

POTAGES

Bouillon de poulet.
Consommé.
Croûte au pot.
Potage à la nîmoise.
Potage crème de carottes.
Potage aux pâtes (maigre et gras).
Potage aux pâtes d'Italie.
Potage aux tomates.
Potage bisque.
Potage Chantilly.
Potage crème de potiron.
Potage aux laitues.
Potage à l'oseille.
Potage de ménage à la purée de pois.
Potage santé.
Potage au tapioca lié.
Potage tortue.
Potage velouté.
Pot-au-feu.
Soupe à l'oignon.
Soupe à l'oignon gratinée.

BOUILLON DE POULET

Excellent pour convalescents et personnes fatiguées par l'âge ou la maladie. Pour le préparer, ajouter dans le pot-au-feu, à une petite quantité de légumes, un poulet ou une vieille poule, après que l'on aura eu soin d'en briser la carcasse. Pour une petite quantité, employer un quart de poulet pour un litre d'eau, additionné de quelques légumes rafraîchissants. Faire bouillir le tout environ une heure.

CONSOMMÉ

Pour faire un très bon consommé, choisir deux jarrets de veau, un morceau de tranche de bœuf, une poule ou un vieux coq, un lapin de garenne ou deux vieilles perdrix. Mettre le tout dans une marmite et mouiller avec une cuillerée à pot de bouillon. Au bout de quelques minutes, mouiller de nouveau avec du bouillon et faire en sorte que le tout soit aussi clair que possible. Faire bouillir encore ce consommé, l'écumer et le rafraîchir de temps en temps. Y ajouter carottes, oignons, pied de céleri, bouquet de persil et ciboule, une gousse d'ail et quelques clous de girofle. Maintenir l'ébullition à petit feu, pendant cinq heures et passer le consommé destiné à être servi ensuite pour sauces et potages.

CROÛTE AU POT

Taillez des croûtes de pain, sans trop de mie, de forme égale, beurrez-les superficiellement et faites-les sécher un instant au four. Faites braiser, d'autre part, quelques légumes ; dressez croûtons et légumes, dans chaque assiette, ou dans la soupière et arrosez le tout de bon bouillon de belle couleur, pour servir aussitôt.

POTAGE À LA NÎMOISE

Verser du bouillon de poisson sur des jaunes d'œufs, délayer, placer sur le feu et lier en remuant avec une cuiller de bois. Couper des croûtes de pain blanc dans une soupière, les tremper avec du bouillon de poisson et incorporer la liaison ci-dessus.

POTAGE CRÈME DE CAROTTES

Ayez environ un litre de bonnes carottes Crécy pour 6 personnes ; ratissez-les, passez-les au beurre, mouillez avec du bouillon, ajoutez deux poignées de riz, un peu de sucre, et, lorsque le tout est bien cuit, passez à l'étamine et allongez avec d'autre bouillon, s'il est besoin. Avant de servir, liez avec de la crème double et un morceau d'excellent beurre, puis versez sur des croûtons de pain réguliers.

POTAGE AUX PÂTES

Maigre :	Gras :
Pâtes de desserte.	Pâtes de desserte.
Eau : 3/4 de litre.	Bouillon : 3/4 de litre.
Beurre : 40 grammes.	Beurre : 20 grammes.
2 œufs.	Gruyère râpé : 45 grammes.
Sel.	2 œufs.
	Peluches de cerfeuil.

Prendre la valeur d'une tasse à déjeuner de nouilles, coquillettes et lasagnes. Les mettre dans une casserole, les mouiller à l'eau froide et les séparer l'une de l'autre. Mettre ainsi, pour 3 personnes, 3/4 de litre de liquide, de l'eau simplement si l'on ne veut qu'un potage maigre. Pour avoir un potage plus gras, y délayer une cuillerée d'extrait de viande ou y mettre 3/4 de litre de bouillon. Y ajouter un peu de sel et mettre sur le feu. Donner quelques bouillons. D'autre part, préparer dans la soupière, pour le potage aux pâtes maigre, 2 œufs battus et 40 grammes de beurre et verser sur le tout le potage petit à petit.

POTAGE AUX PÂTES D'ITALIE

Pour ce potage gras, mettre 2 jaunes d'œufs battus, 20 grammes de beurre, 45 grammes de gruyère râpé et verser le potage sur le tout, peu à peu. Saupoudrer de cerfeuil finement haché.

Faire bouillir du bouillon et y jeter la pâte choisie. Le temps de cuisson variera avec l'épaisseur de la pâte employée. Si le vermicelle, par exemple, ne demande que quelques minutes, le macaroni, les nouilles, les lasagnes demanderont un quart d'heure environ de cuisson. Le salep, le sagou et le tapioca se prépareront de la même façon. Dans le cas où les pâtes s'épaissiraient trop, il suffira d'ajouter un peu de bouillon. On peut faire aussi cuire à l'avance et à l'eau salée les pâtes épaisses que l'on coupera ensuite. Cela améliorera notablement le bouillon.

Accompagner ces potages d'une assiette de parmesan et gruyère mélangés.

POTAGE AUX TOMATES

Tomates : 375 grammes.
Pommes de terre : 375 gr.
Beurre : 20 grammes.
1 poireau.
Sel, poivre.
Croûtons frits.

Faire fondre à feu vif, dans une casserole, 20 grammes de beurre et couper dans le beurre un poireau épluché et lavé en petits morceaux. Faire roussir. Ajouter alors 1 l. 125 d'eau chaude, puis 3 belles tomates et 4 pommes de terre. Saler. Laisser cuire et bouillir lentement pendant une heure et demie. Passer ensuite le potage au tamis ou à la passoire assez fine de telle sorte que les graines de tomate restent sur la passoire.

Au moment de servir, faire frire dans du beurre des petits croûtons de pain et mettre ces croûtons au fond de la soupière avec 20 grammes de beurre frais. Vider par-dessus le potage fumant.

POTAGE BISQUE

Choisir quelques belles écrevisses et les faire cuire dans de l'eau avec du sel, du poivre et des légumes au choix : oignons, persil, carottes, civette. Débarrasser queues et pattes de leur chair. Mettre dans le mortier le reste additionné d'une moitié de bon beurre. Piler ce reste jusqu'à ce qu'il soit réduit en une purée très fine. Remettre sur le feu avec du bon bouillon, épicer davantage si cela est nécessaire et servir cette bisque très chaude avec de petits croûtons frits au beurre et la chair des queues et des pattes.

POTAGE CHANTILLY

Lentilles : 0 l. 375.
Lard de poitrine : 100 gr.
Beurre : 45 grammes.
1 oignon, 1 carotte.
Bouquet garni.
Bouillon : 3/4 de litre.

Laver et trier 375 grammes de lentilles. Les faire cuire dans de l'eau en abondance avec une carotte et un bouquet garni. Faire revenir, d'autre part, dans du beurre un oignon coupé très fin que l'on joindra au potage ainsi que 100 grammes de lard de poitrine légèrement dessalé à l'eau bouillante et coupé en petits dés. Les lentilles, une fois cuites, les passer avec leur assaisonnement, et après avoir ôté le bouquet, au travers d'une passoire assez fine pour que les peaux des lentilles ne se mélangent pas au potage. Allonger cette purée avec 3/4 de litre de bouillon, goûter, compléter l'assaisonnement, remettre sur le feu, faire bouillir et verser dans la soupière après avoir mis au fond de celle-ci la valeur de 3 cuillerées de riz blanchi et 45 grammes de beurre.

POTAGE CRÈME DE POTIRON

Potiron : 375 grammes.
Beurre : 30 grammes.
Lait : 0 l. 375.
Eau : 3/4 de litre.
1 oignon.
Sel gris.
Croûtons frits.

Avoir une belle tranche de potiron dont on enlèvera la peau et les pépins. Le couper en morceaux. Faire revenir, dans une casserole, 20 grammes de beurre et un oignon haché fin. Lorsqu'il sera doré, ajouter 3/4 de litre d'eau chaude, puis les morceaux du potiron, assaisonner de sel et faire cuire une demi-heure. Lorsque le potiron tombera en purée, le passer au tamis, puis remettre sur le feu et incorporer à ce potage trop épais la quantité de lait chaud nécessaire pour obtenir une crème un peu épaisse. Tourner toujours de façon que rien n'attache à la casserole et servir sur des croûtons frits au beurre en ajoutant une noix de beurre frais.

POTAGE AUX LAITUES

Faites cuire du tapioca dans un consommé, et cela proportionnellement au nombre de personnes que vous avez à servir. Ciselez très finement des cœurs de laitues ; faites-les blondir au beurre, mouillez-les avec un peu de consommé et finissez de cuire en mélangeant le tout ensemble au moment de servir.

POTAGE À L'OSEILLE

Pour 4 personnes, effeuillez une bonne poignée d'oseille, lavez-la soigneusement, égouttez et coupez-la en julienne en la tenant pressée entre vos doigts. Faites fondre dans une casserole un bon morceau de beurre, faites revenir votre oseille, assaisonnez-la de sel et d'une pincée de poivre fin. Dès que votre oseille est fondue, mouillez avec de l'eau et faites bouillir dix à douze minutes. On peut remplacer l'eau par du bouillon ou consommé. Préparez dans une soupière 2 jaunes d'œufs par personne, un morceau de beurre de la grosseur d'un œuf, un quart de verre de lait, puis délayez et travaillez bien le tout. Quelques minutes avant de servir le potage, ajoutez une pincée de peluches de cerfeuil. Versez votre potage peu à peu dans la liaison, en ayant soin de bien le remuer en le versant, pour opérer le mélange et éviter qu'il tourne. Servez aussitôt. On peut ajouter quelques tranches de pain bien minces dans le potage, mais on ne doit mélanger le potage maigre à la liaison qu'au moment de servir.

POTAGE DE MÉNAGE À LA PURÉE DE POIS

Pois cassés : 110 grammes.
Pommes de terre : 375 gr.
Beurre : 40 grammes.
Tapioca : 20 grammes.
Sel gris.
Croûtons frits.

Prendre 3 cuillerées de pois cassés que l'on mettra à tremper après les avoir lavés. Les mettre cuire à l'eau froide le lendemain en ajoutant 3 grosses pommes de terre farineuses. Saler avec du sel gris. Lorsque le tout s'écrase, passer ce potage au tamis ou à la passoire fine. Il devra avoir la consistance d'une purée très liquide. Le remettre alors sur le feu et y ajouter 20 grammes de tapioca jeté en pluie dans le liquide bouillant. Servir sur des croûtons de pain frits au beurre et ajouter 20 grammes de beurre blanc.

POTAGE SANTÉ

Faire un hachis avec de l'oseille, 2 laitues, des poireaux et du cerfeuil. Mouiller avec du bouillon, saler et poivrer. Après trente minutes d'ébullition et au moment de servir, ajouter un bon morceau de beurre frais, lier avec des jaunes d'œufs et arroser avec le tout des tranches de pain très minces.

POTAGE AU TAPIOCA LIÉ

Ayez du bon bouillon que vous mettez en ébullition, jetez du tapioca en pluie, une cuillerée à bouche par personne, et, au moment de servir, ajoutez dans la soupière 4 jaunes d'œufs pour 6 convives, avec une cuillerée de crème et une pointe de muscade râpée. Cette liaison améliore beaucoup tous les potages aux pâtes.

POTAGE TORTUE

Foncez une casserole d'oignons, carottes, thym, laurier, persil, quelques morceaux de bœuf, comme pour un pot-au-feu ; mouillez jusqu'à hauteur de bouillon, laissez réduire de moitié, ajoutez moitié eau et moitié d'un consommé de tortue (qu'on remplace le plus souvent par de la tête de veau), délayez un peu de farine, mélangez à votre potage, jusqu'à ce qu'il bouille, en le remuant bien pour éviter qu'il ne s'attache ; ajoutez sel, menthe, basilic ; laissez cuire cinq heures ; passez à l'étamine, augmentez d'un verre de madère, jus de citron, glace de viande et servez en émiettant de petits morceaux de tortue dans la soupière.

POTAGE VELOUTÉ

Mettre du tapioca dans de l'eau avec du sel et du poivre. Faire cuire. Verser le tapioca bouillant dans une soupière au fond de laquelle on aura mis un bon morceau de beurre frais et 2 jaunes d'œufs. Bien remuer en versant.

POT-AU-FEU

Prendre 3 litres d'eau par kilogramme de viande. Faire chauffer lentement après avoir ajouté un peu de sel. Après une heure de cuisson lente et lorsque l'écume sera bien montée, l'enlever aussitôt à l'écumoire. On fera bien, pour tempérer l'ébullition, d'ajouter quelques gouttes d'eau froide. Eviter en conséquence de faire bouillir trop vite et d'écumer trop tôt.

Après avoir enlevé l'écume dans les conditions précitées, ajouter les légumes tels que poireaux, carottes, céleri, oignons mélangés à quelques clous de girofle et une petite gousse d'ail.

Cinq ou six heures d'ébullition lente et soutenue permettront d'obtenir un excellent pot-au-feu.

SOUPE À L'OIGNON

Jeter dans une casserole, dans laquelle on aura fait fondre un peu de beurre, quelques oignons finement émincés. Attendre que ces oignons soient à moitié roux. Ajouter alors un peu de farine à laquelle on fera prendre couleur. Verser dessus de l'eau, ou bien du bouillon gras ou maigre, saler et poivrer. Faire bouillir quelques instants, passer et arroser le pain de cette soupe. Elle pourra être servie avec du fromage râpé à part.

SOUPE À L'OIGNON GRATINÉE

Oignons : 200 grammes.
Bouillon : 3/4 de litre.
Beurre : 75 grammes.
Sel, poivre.
Gruyère râpé : 95 grammes.
Crème fraîche : 60 grammes.

Placer une casserole sur feu vif, y mettre 75 grammes de beurre et, dans ce beurre, couper en tranches très minces, des oignons préalablement pelés. Faire dorer les oignons en tournant avec la cuiller de bois, puis les arroser peu à peu de bouillon gras bouillant (3/4 de litre pour 3 personnes). Saler légèrement et laisser bouillir quinze minutes en surveillant la cuisson découverte, afin que le bouillon ne se sauve pas. Pour tremper la soupe, disposer dans une soupière une couche de tranches très minces de pain rassis, ou des biscottes, puis une couche de fromage de gruyère râpé, puis une seconde couche de tranches de pain et une seconde couche de gruyère râpé ; mettre un peu de poivre moulu sur le pain, puis sur cet appareil verser la soupe bouillante. Mettre alors la soupière au four et l'y faire gratiner environ de dix à quinze minutes, puis servir.

Pour faire une soupe à l'oignon maigre, on pourra remplacer le bouillon par l'eau de cuisson de haricots, de fèves ou de lentilles, ou encore tout simplement par de l'eau à laquelle on ajoutera, vers la fin de la cuisson et avant de tremper la soupe, 3 cuillerées de crème fraîche.

IX

SAUCES ET GARNITURES

AILLOLI

2 œufs.
Ail : 6 gousses.
Huile d'olive : 150 grammes.
Citron.
Sel, poivre.

Eplucher les gousses d'ail, les couper finement et les piler dans un mortier, additionnées d'un peu de sel. Ajouter alors un ou 2 jaunes d'œufs, les mélanger à l'ail pilé, puis verser peu à peu l'huile en tournant toujours avec le pilon du mortier ou une spatule de bois. L'on aura ainsi une sorte de mayonnaise très ferme. Après avoir obtenu le tiers de la quantité de sauce désirée, ajouter le jus de citron et incorporer à nouveau à l'ailloli l'huile nécessaire jusqu'à ce que l'on ait obtenu la quantité désirée. Ajouter vers la fin une cuillerée à bouche d'eau chaude. Tenir ensuite au frais. Cette sauce pourra être très utilement servie avec les viandes froides et les pommes de terre en robe de chambre.

BEURRE D'ANCHOIS

Faire fondre dans une casserole au coin du feu et en remuant, un demi-quart de beurre et les filets bien nettoyés de 2 anchois salés. Ajouter un peu de jus de citron et une pincée de persil haché bien finement. L'on obtiendra ainsi une sauce excellente qui pourrait être servie sur bifteck ou rôti, etc.

DEMI-BRAISE

La braise blanche, ou demi-braise, se fait en fonçant la marmite avec des bardes de lard et des tranches de veau, en remplacement du bœuf. L'assaisonnement est composé des mêmes substances, mais beaucoup moins fort, cette braise ne se servant que pour des pièces d'un plus petit volume.

FARCE AU GRATIN

Faites tremper dans du lait la mie d'un petit pain, écrasez-la et mêlez-y de la graisse de lard avec sel, poivre, ciboules et autres fines herbes hachées ; liez le tout avec 3 jaunes d'œufs. Si l'on y ajoute des foies ou des blancs de volaille, après les avoir pilés, la farce en sera plus délicate.

FARCE À PAPILLOTES

Hachez du lard gras, du persil, de l'estragon et, si vous ne la craignez pas, de l'échalote ; on peut ajouter des champignons, également hachés. Ayez ensuite une mie de pain rassi, que vous émiettez dans le coin d'un torchon ; mêlez le tout ensemble en ajoutant un morceau de beurre et une ou deux cuillerées d'huile, selon la quantité de farce, sel, poivre et les épices qui vous conviendront. Si cette farce doit être conservée quelques jours, passez-la au feu pendant cinq minutes ; si elle doit servir dans les vingt-quatre heures, arrangez tout de suite vos papillotes ; elles prendront ainsi davantage le goût de la farce et seront meilleures.

FARCE POUR QUENELLES DE POISSON

Pilez de la chair de poisson cuite, 250 grammes, plus ou moins selon la quantité de quenelles que vous voulez faire. Mettez dans une casserole de la mie de pain frais qui aura trempé dans le lait, ajoutez un peu de beurre. Faites réduire à l'état de panade épaisse, et en remuant, sur un feu doux ; ajoutez deux ou trois jaunes d'œufs durs écrasés, pour lier votre panade. Quand elle est liée suffisamment, mettez dans une terrine quantité égale de poisson pilé, de panade et de beurre, mélangez bien le tout ; ajoutez alors sel, poivre, muscade râpée, un ou 2 œufs frais, et terminez comme pour le godiveau. Les quenelles se font avec le poisson de rivière, ou du merlan, de la sole, du turbot, de la morue, etc.

MARINADE CUITE

Mettre du beurre dans une casserole et le faire fondre. Ajouter un oignon et une carotte que l'on aura préalablement coupés en tranches minces, du laurier, du persil, de l'ail et du poivre en grains. Mouiller avec de l'eau ou du bouillon et un tiers de vinaigre. Faire bouillir et passer au tamis.

MAYONNAISE À LA GELÉE

Mettez dans un bol 2 cuillerées de gelée d'aspic, faites-la tiédir pour la rendre liquide. Ajoutez-y, comme pour la mayonnaise, 2 jaunes d'œufs, de l'huile, du vinaigre ou jus de citron, et achevez-la comme de règle.

ROUX BLOND

Faites fondre du beurre dans une casserole ; délayez dedans de la belle farine en quantité suffisante pour obtenir le roux de l'épaisseur d'une bouillie mate ; tournez votre roux sur le feu ; quand il commence à se colorer un peu, diminuez votre feu et laissez mijoter jusqu'à ce qu'il ait pris une belle couleur blonde, puis retirez et conservez-le pour lier vos sauces.

ROUX BLANC

Procédez comme ci-dessus ; seulement ne laissez pas prendre couleur à votre roux qui doit rester blanc et servir à lier le velouté ou aux autres sauces non colorées.

ROUX BRUN

En laissant cuire la farine trois ou quatre minutes de plus pour la laisser brunir, en veillant toutefois à ce qu'elle ne brûle pas, on obtient un roux brun.

RÉMOULADE

Dans quelques cuillerées à bouche de mayonnaise, incorporez une cuillerée à bouche de moutarde, du persil, cerfeuil, estragon, câpres et cornichons au vinaigre finement hachés et pressés ; relevez, si vous voulez, avec une pointe de cayenne. La sauce rémoulade à la provençale contient en plus de l'ail écrasé.

SAUCE À TOUT USAGE

Former un mélange d'une partie de vin blanc et de deux parties de bouillon. Y ajouter du laurier, du sel, du poivre, du cerfeuil, de l'estragon et, en très petite quantité, du zeste de citron. Faire chauffer en évitant de laisser bouillir. Passer la sauce après cinq ou six heures.

Cette sauce peut être employée pour toutes les préparations culinaires. Au surplus, elle se conserve très bien au frais.

SAUCE BÉCHAMEL

1° Beurre : 40 grammes.
Farine : 40 grammes.
Sel, poivre blanc.
Muscade râpée.
Lait froid : 0 l. 375.

2° Farine : 40 grammes.
Beurre : 40 grammes.
Sel, poivre.
Eau : 0 l.375.
1 œuf.

1° Faire fondre, sans roussir, 40 grammes de beurre dans une casserole. Y faire revenir à blanc un oignon coupé menu. Ajouter 40 grammes de farine. Lorsque celle-ci aura absorbé tout le beurre, mouiller avec 0 l. 375 de lait froid en tournant avec une cuiller de bois. Faire partir au feu moyen sans cesser de tourner et, au moment de l'ébullition, mettre sur le bord du fourneau. Y ajouter sel, poivre blanc, un peu de muscade râpée et laisser cuire doucement pendant une heure au minimum. Passer alors la sauce à la passoire fine et la tenir au chaud jusqu'au moment de l'employer. A cet effet et pour qu'elle ne croûte pas, on promènera à sa surface un peu de beurre fondu. Elle pourra être employée telle qu'elle est ou encore additionnée de fromage râpé. On se gardera toutefois de lier cette sauce à un œuf.

2° Employer les mêmes quantités de farine et de beurre, mais on remplace le lait par de l'eau et on finira la sauce après l'avoir retirée du feu et liée avec un jaune d'œuf battu dans une cuillerée de vinaigre.

SAUCE BÉARNAISE

Mettre dans une casserole, que l'on place sur le feu, une échalote hachée, une pincée de cerfeuil et d'estragon, un verre à madère de vinaigre et un peu de poivre concassé. Faire réduire aux trois quarts, puis verser cette réduction en la passant sur 2 jaunes d'œufs que l'on tourne avec un petit fouet. Après avoir rincé la casserole, y reverser la réduction et les jaunes que l'on fait cuire au bain-marie en continuant à les tourner avec le fouet jusqu'à consistance crémeuse ; y ajouter alors, par petites parties, 80 grammes de beurre fin, puis une cuillerée à café de cerfeuil et estragon hachés. Ne pas laisser bouillir l'eau du bain-marie.

SAUCE BLANCHE

Faites un roux blond que vous délayez avec un peu d'eau bouillante ; laissez cuire quelques minutes et incorporez à ce velouté un peu de beurre, un jaune d'œuf battu avec un peu de jus de citron ou vinaigre et assaisonnez.

SAUCE BORDELAISE

Mouillez un roux avec moitié bouillon et moitié vin blanc ; assaisonnez d'échalotes hachées, de persil haché, de sel, poivre ; faites réduire un instant et employez.

SAUCE BOURGUIGNONNE

Faire revenir 15 grammes de beurre, carottes, oignons en rondelles, et une demi-gousse d'ail. Y ajouter deux champignons hachés, un bouquet garni, des aromates et saupoudrer de 15 grammes de farine. Laisser brunir en évitant de faire brûler. Délayer un demi-verre de vin rouge de Bourgogne et autant de bouillon. Faire mijoter environ une demi-heure. Dégraisser lorsque la sauce aura la consistance voulue. Passer ensuite et servir.

SAUCE CHAUSSEUR

Pour apprêter cette sauce, qui peut convenir pour accompagner un lapin rôti, on fait un roux brun avec beurre et farine, puis on le mouille avec du bon jus ou du bon bouillon et un peu de glace de viande. Tenir cette sauce un peu claire ; la laisser cuire une bonne heure, tout en la dégraissant. D'autre part, on épluche et émince finement quelques champignons que l'on fait sauter à l'huile, on y ajoute une échalote hachée, puis on verse sur ces champignons un verre de vin blanc. On laisse réduire aux trois quarts, puis on y ajoute la sauce brune, et, après avoir assaisonné de bon goût, on y joint une pincée de persil haché.

SAUCE AUX CREVETTES

Mettez dans une casserole un bon morceau de beurre avec une cuillerée de farine ; tournez sur le feu ; ajoutez un verre de vin blanc, 2 verres de jus de viande, poivre, sel ; laissez mijoter pendant une heure. Faites cuire 3 œufs durs, enlever le jaune, maniez-le avec du beurre ; épluchez des crevettes cuites, ajoutez-les aux œufs durs ; passez le tout au tamis, mettez-y cette pâte, veillez à ce que la sauce ne fasse aucun bouillon ; ajoutez encore des queues de crevettes entières épluchées.

SAUCE CUMBERLAND (SAUCE FROIDE)

Hachez très finement des jaunes d'œufs durs, persil, estragon, civette, pimprenelle ; ajoutez de l'huile, du vinaigre, un peu de moutarde, sel et poivre, en remuant bien, et servez cette sauce à part.

SAUCE AUX ÉCHALOTES

Mettez dans une casserole 5 ou 6 échalotes hachées bien menu, une cuillerée à pot de bouillon, une cuillerée à bouche de vinaigre, un peu de poivre et de sel ; faites bouillir pendant quelques minutes et versez cette sauce dans une saucière.

SAUCE ESPAGNOLE

Tomate concentrée : 15 gr.
Beurre : 75 grammes.
Farine : 70 grammes.
Eau : 3/4 de verre.
Bouillon : 3/4 de verre.
Sel, poivre, bouquet garni.
1 carotte.
2 oignons.

Faire fondre dans une casserole 75 gr. de beurre ; y incorporer 70 grammes de farine, mettre à feu doux et jusqu'à ce que l'on obtienne non pas une couleur brune, mais rousse. Y ajouter une carotte et 2 oignons coupés en petits morceaux, les tourner dans le roux et mouiller peu à peu de 3/4 de verre de bon bouillon et de 3/4 de verre d'eau. Ajouter sel, poivre, bouquet garni et laisser donner un bouillon. Laisser cuire à feu doux pendant une heure à casserole ouverte. Ajouter alors à la sauce une cuillerée à bouche de purée de tomate concentrée et laisser finir la cuisson. Au moment de servir, passer cette sauce à la passoire fine.

SAUCE GÉNOISE

Faites réduire dans une casserole, un verre de bon vin rouge ; ajoutez un peu d'estragon, sel, poivre, ou, à défaut, faites un roux ; laissez réduire à consistance d'un coulis, liez-la au moment de servir, avec un beurre d'anchois.

SAUCE GRIBICHE

Passez au tamis 6 jaunes d'œufs cuits durs ; les mettre dans un saladier avec une cuillerée à café de moutarde anglaise ; ajoutez sel fin et poivre de Cayenne ; puis travaillez le tout ensemble pour le monter comme une mayonnaise en y ajoutant huile et vinaigre que l'on verse lentement afin de maintenir l'homogénéité de cette sauce à laquelle on ajoute alors 2 cuillerées de câpres, cerfeuil et estragon hachés.

SAUCE HOLLANDAISE

Mettez dans une casserole placée sur le feu un demi-verre de vinaigre que vous faites réduire aux trois quarts ; retirez du feu, et, lorsque cette réduction est froide, vous y mélangez 6 jaunes d'œufs, puis 25 grammes de beurre divisé en petits morceaux. Placez alors au bain-marie la casserole dont vous travaillez le contenu avec un fouet, tout en y incorporant, à mesure que la sauce se lie, 250 gr. de beurre divisé en petits morceaux, mais en évitant de laisser bouillir. Assaisonnez et passez à l'étamine.

SAUCE AU KARI

Mettez 75 grammes de beurre dans une casserole avec une demi-cuillerée de poudre de kari ; faites chauffer le beurre jusqu'à ce qu'il commence à roussir ; ajoutez du velouté et du bouillon ; si le velouté manque, mettez du jus ou du fond de cuisson. Faites réduire, dégraissez et tenez la sauce chaude au bain-marie. Au moment de servir, incorporez un morceau de beurre. Si cette sauce n'est point assez relevée avec le kari, il faut y mettre un peu de poivre de Cayenne.

SAUCE À L'ANGLAISE

Mettez dans une casserole des filets d'anchois, des câpres, des jaunes d'œufs, le tout haché menu, du gros poivre et muscade râpée ; mouillez avec du bon bouillon ; faites chauffer et liez la sauce avec un peu de beurre manié de farine.

SAUCE MADÈRE

Beurre : 40 grammes.
Champignons : 45 grammes.
Farine : 20 grammes.
Madère : 1/2 verre.
Sel, poivre.

Faire fondre à feu vif, dans une casserole, 20 grammes de beurre, y mélanger 2 cuillerées de farine et tourner toujours jusqu'à ce que l'on obtienne une bonne coloration de roux. Mouiller alors peu à peu avec un demi-verre de bouillon tiède. Ajouter sel, poivre, bouquet garni et 45 grammes de champignons très finement hachés. Au bout d'un quart d'heure de cuisson, ajouter un demi-verre de bon madère. Laisser cuire un autre quart d'heure. Passer au tamis ou à la passoire fine. Si elle est trop épaisse, y ajouter un peu de bouillon tiède ou un peu de jus de viande dégraissé. En servant, ajouter, en mélangeant bien, 20 grammes de beurre fin.

SAUCE MAYONNAISE

1 œuf frais.
Huile : 60 grammes.
Vinaigre : 15 grammes.
Sel : 4 grammes.
Poivre : 0 gr. 75.
Eau bouillante : 15 grammes.

Mettre dans un grand bol un jaune d'œuf très frais, 4 grammes de sel, 0 gr. 75 de poivre et une cuillerée de vinaigre. Au moyen d'un fouet ou d'une fourchette, délayer œuf et vinaigre, puis ajouter goutte à goutte de la bonne huile de table en quantité cinq fois plus grande que le vinaigre. On obtiendra ainsi une sauce épaisse et très lisse. On pourra la rendre beaucoup plus digestive en y ajoutant, en tournant toujours, une cuillerée à bouche d'eau bouillante que l'on mettra peu à peu, seulement si la sauce est bien prise.

Remarque : On pourra remplacer le vinaigre par du jus de citron à raison d'une cuillerée à café pour la quantité d'huile indiquée.

SAUCE MOSCOVITE POUR VENAISON

La sauce moscovite est une sauce poivrade dans laquelle on ajoute une réduction de vin de Malaga et de baies de genévrier. Elle se garnit de pignons légèrement grillés au four, raisins de Corinthe gonflés à l'eau tiède, gelée de groseille et addition de crème double au moment de servir.

SAUCE MOUSSELINE

1 œuf frais.
Huile : 60 grammes.
Vinaigre : 15 grammes.
Sel : 4 grammes.
Poivre : 0 gr. 75.
Blanc d'œuf en neige.
(Pour 1/2 verre sauce.)

Préparer la sauce mayonnaise comme déjà indiqué. Lorsqu'on l'aura terminée et réussie, ne pas ajouter de l'eau bouillante, mais y incorporer peu à peu le blanc de l'œuf monté en neige ferme.

SAUCE PIQUANTE

Beurre : 20 grammes.
Farine : 25 grammes.
Vinaigre : 3/4 verre.
Consommé : 3/4 verre.
Sel, poivre.
1 piment rouge.
Bouquet garni.
1 pointe cayenne.

Mettre dans une casserole 3/4 de verre de très bon vinaigre, un bouquet garni, un piment rouge, 2 gousses d'ail, du sel et du poivre. Faire bouillir et laisser réduire de moitié, puis passer en pilant. Faire ensuite un roux brun au moyen d'une cuillerée et demie de farine, fondue dans du beurre roussi. Mouiller avec du bon consommé et ajouter le vinaigre. Laisser bouillir le tout, de façon à former une bouillie claire, corser cette sauce avec une pointe de cayenne et servir dans une saucière très chaude.

SAUCE PIQUANTE (AUTRE RECETTE)

Mettre dans une casserole un demi-verre de très bon vinaigre, une gousse de petit piment rouge, une demi-douzaine de gousses d'ail, du persil et du thym hachés.

Faire bouillir et laisser réduire à moitié. Passer en pilant, faire un roux brun, mouiller légèrement avec du bon consommé et ajouter le vinaigre. Laisser bouillir le tout, saler et poivrer. On emploiera de préférence cette sauce soit avec un gigot, soit avec un rôti de porc frais ou de jambon.

SAUCE PORTUGAISE

Prenez 125 grammes de beurre, 2 jaunes d'œufs, le jus d'un citron, sel et gros poivre, mettez le tout sur un feu doux dans une casserole, tournez sans cesse et, quand la sauce est chaude, arrosez-la et remuez-la afin qu'elle se lie bien. Cette sauce ne doit se faire qu'au moment de la servir.

SAUCE POUR VIANDES FROIDES

Mettez dans un demi-litre de lait, un oignon découpé, une pincée de sel, 4 grains de poivre et laissez reposer une demi-heure.

Après, passez le lait, faites-le bouillir et versez-le sur une demi-livre de pain émietté. Mettez le tout dans une casserole avec 100 grammes de beurre, remuez trois à quatre minutes sur le feu, sans laisser bouillir. Dressez votre viande sur cette sauce exquise. On peut remplacer le beurre par 2 cuillerées de crème double.

SAUCE PROVENÇALE

Mettez dans une casserole, sur le feu, de l'huile d'olive, 3 cuillerées à bouche ; une d'oignon haché ; 2 de tomate en morceaux, une poignée de persil haché, 2 gousses d'ail ; remuez le tout pendant deux minutes, ajoutez 20 grammes de farine et délayez ensuite avec un verre d'eau ; assaisonnez à point, ajoutez un bouquet garni. Laissez bouillonner un instant. Passez au tamis. Ajoutez, hors du feu, du beurre divisé en petits morceaux.

SAUCE RAVIGOTE (SAUCE FROIDE POUR ROTIS FROIDS DE GIBIER OU VENAISON)

Délayez 125 grammes de gelée de groseilles avec un demi-décilitre de vin de Porto, le jus d'une orange, et le jus d'un demi-citron ; incorporez 2 échalotes finement hachées et passées, pendant deux minutes, à l'eau bouillante, pour enlever l'âcreté, ainsi qu'un zeste de citron et un d'orange coupés en fine julienne et blanchis quelques minutes à l'eau bouillante ; ajoutez une pointe de cayenne, une pincée de gingembre en poudre et une cuillerée à café de moutarde en poudre.

SAUCE RÉMOULADE

2 cuillerées sauce mayonnaise.
1 cuillerée moutarde.
Persil, cerfeuil, estragon.
Cornichons : 12 grammes.
Câpres : 12 grammes.

Incorporer à quelques cuillerées à bouche de sauce mayonnaise une cuillerée à café de moutarde, du persil, du cerfeuil, de l'estragon, des cornichons au vinaigre finement hachés et pressés. Relever la sauce avec une pointe de cayenne et ajouter au moment de servir des câpres entières. On pourra ajouter une gousse d'ail pilée et on aura ainsi une sauce rémoulade à la provençale.

SAUCE TOMATE

Tomates : 375 grammes.
Beurre : 20 grammes.
Sel, poivre.
Céleri, ail, oignons.
Eau : 1/2 verre.

Couper en morceaux des tomates très mûres et les mettre dans une casserole avec un bouquet garni, une branche de céleri, de l'ail, des oignons, du sel, du poivre et un demi-verre d'eau. Laisser cuire à petit feu deux heures. Puis passer au tamis ou à la passoire fine de façon qu'aucun pépin ne s'égare. Cette sauce peut être employée telle quelle dans le homard à l'américaine. Pour l'employer avec un rôti quelconque ou du bœuf bouilli, y incorporer une ou deux cuillerées de farine maniée dans du beurre fondu. La farine a pour effet de corriger l'acidité des tomates.

SAUCE VERTE (POUR POISSONS ET VIANDES FROIDES)

Epluchez une poignée de cerfeuil, persil, estragon, civette, pimprenelle, cresson alénois ; lavez ces herbes, blanchissez-les à l'eau bouillante, rafraîchissez à l'eau froide pour les piler avec 4 jaunes durs et 2 anchois épluchés. Tamisez cette purée et montez-la avec de l'huile d'olive et du jus de citron. Assaisonnez de haut goût.

X

VIANDES

Agneau.

Bœuf.

Mouton et agneau.

Porc.

Veau.

Volaille et gibier.

Agneau

AGNEAU À LA HONGROISE

Agneau (poitrine) : 750 gr.
Oignon : 375 grammes.
Beurre : 40 grammes.
Farine : 20 grammes.
Sel, poivre.
Bouquet garni.

Choisir une dizaine de gros oignons doux. Les couper en rouelles. En faire un roux avec du beurre et de la farine. Assaisonner d'un bouquet garni, de sel et de poivre. Couper d'autre part, en tranches minces, la poitrine d'agneau et faire revenir ces tranches dans du beurre frais. Lorsque tout sera terminé, verser le roux sur l'agneau, laisser mijoter pendant une heure en ajoutant, de temps en temps, quelques cuillerées de bon bouillon. Cela pourra être servi en même temps qu'une purée de marrons.

RAGOÛT D'AGNEAU

Poitrine ou épaule : 0 kg. 500.
Farine et légumes.

Faire roussir à feu vif de la poitrine ou de l'épaule coupée en morceaux. Dégraisser et ajouter une forte pincée de farine. Faire prendre couleur, mouiller si possible avec du bouillon. Ajouter un demi-oignon, un clou de girofle, un petit bouquet de persil, des petites carottes, sel et poivre. Faire cuire à petit feu. Au moment de servir, dégraisser et servir dans un plat saupoudré de fines herbes.

RIS D'AGNEAU

Ris d'agneau : 0 kg. 500.
Beurre : 65 grammes.
Fines herbes.
1/2 citron.
Tomates : 0 kg. 500.

Prendre 0 kg. 500 de ris d'agneau. Les parer et blanchir. Les mettre ensuite dans une marinade tiède, y ajouter du bouillon, du beurre tiède, des fines herbes, des ciboules et des échalotes hachées, du jus de citron, du sel et du poivre. Les faire ensuite égoutter et les tremper dans une pâte à friture. Leur faire prendre belle couleur et, au moment de servir, ajouter une garniture de persil également frit et une sauce tomate.

SAUTÉ D'AGNEAU À L'OSEILLE

Agneau : 0 kg. 500. Oseille : 0 kg. 500. Légumes.

Emincer des oignons, les faire sauter au beurre avec une échalote et une petite gousse d'ail. Ajouter, après quelques minutes de cuisson, les quartiers d'épaule d'agneau ou des restes de gigot rôti, etc. Saler, poivrer et faire sauter souvent. Préparer et passer à part une bonne purée d'oseille, que l'on ajoutera à la viande quand elle sera cuite. Mouiller avec du bouillon si on le juge utile et assaisonner assez fort.

Bœuf

Aloyau braisé.

Aloyau à la méridionale (rôti).

Bœuf à la mode.

Bœuf miroton aux pruneaux.

Bœuf à la ménagère.

Biftecks à la sauce anglaise.

Biftecks au beurre d'anchois.

Biftecks sautés aux olives.

Boulettes.

Boulettes frites.

Daube à la provençale.

Entrecôte à la bordelaise.

Entrecôte à la Bercy.

Filet de bœuf rôti.

Filet de bœuf sauce tomate.

Langue de bœuf à l'italienne.

Langue de bœuf à l'écarlate.

Restes de bœuf aux tomates entières.

Rognon de bœuf aux champignons.

Divisions du bœuf et du choix des morceaux.

Lorsque le bœuf est abattu, on enlève la peau, la tête, les entrailles, etc. ; et il reste, proprement dit, la viande de boucherie. L'animal est coupé par la moitié, et, en commençant par le haut, on trouve le *gîte* ; plus bas, le *gîte à la noix* ou *semelle*, partie postérieure de la cuisse qui se trouve sous la partie graisseuse du tende de tranche ; le *tende de tranche* ou *tranche,* partie interne de la cuisse ; la culotte qui avoisine la queue. La partie supérieure de la culotte, qui suit immédiatement le filet, se nomme *rumsteck* ; elle a toute la saveur du faux-filet, on l'emploie comme bifteck. La pointe de la culotte, plus osseuse, donne un excellent pot-au-feu. La tranche grasse, dont la partie appelée le *rond*, se vend pour bifteck, mais n'a pas la tendreté du rumsteck ou du faux-filet. Viennent ensuite le *flanchet*, partie du bœuf placée entre la tranche et la poitrine ; puis l'*aloyau*, partie la plus estimée de l'animal, qui comprend le *filet* et le *faux-filet*, qu'on vend ordinairement séparés.

Le devant du bœuf comprend encore la *hampe*, bande musculaire tendue entre le ventre et la poitrine, qui, une fois bien parée, donne d'excellents biftecks ; l'*onglet*, morceau charnu placé en haut de la hampe, près du filet, s'emploie aux mêmes usages. Le train de côtes, qui se divise en *côtes découvertes,* en *côtes couvertes* ou *couvert* et en *plat-de-côtes* ou *plates-côtes*, de la huitième à la onzième côte. Les côtes désossées et déchiquetées par tranches transversales constituent les *entrecôtes.*

L'épaule comprend le paleron, le collier et la joue.

La *joue*, morceau inférieur, s'emploie pour le pot-au-feu.

Le *talon de collier,* placé en avant et en dedans du paleron, sert comme pot-au-feu et bœuf à la mode. La *pointe* ou *derrière du paleron* s'emploie aux mêmes usages.

Enfin, la *macreuse*, large morceau charnu, situé à la partie moyenne du paleron, fournit un bouilli un peu sec, mais les os qui en font partie renferment beaucoup de moelle.

Usages des principaux morceaux.

La chair du bœuf est un de nos meilleurs aliments ; elle est très nourrissante et se digère facilement, surtout quand il est jeune et a été nourri dans de bons pâturages.

Les principaux morceaux dont on fait usage pour le pot-au-feu sont : le *gîte à la noix,* la *tranche,* la *culotte,* autrement dit rumsteck, la *poitrine* et l'*épaule* ; on peut y ajouter la *macreuse* pour les personnes qui aiment les parties gélatineuses et le *gîte*, mais ces morceaux sont un peu secs ; dans les maisons bourgeoises on les marie avec un des morceaux précédemment indiqués, ce qui permet de satisfaire tous les goûts et procure un meilleur bouillon.

La *tranche* grasse et le *talon de collier* conviennent à merveille pour le bœuf à la mode et en daube ; principalement la *tranche.*

L'*aloyau* et le *filet,* bien mortifiés, fournissent des rôtis de premier ordre le premier surtout, servi à l'anglaise, saignant et accompagné d'une sauce stimulante ou d'une garniture de légumes qui laisse à la viande tout son parfum et toutes ses qualités.

Avec la cervelle, la langue, le palais, les rognons, la queue, on fait toutes sortes de ragoûts auxquels on ajoute des garnitures variées.

ALOYAU BRAISÉ

Aloyau : 1 kg. 125.
Lard : 45 grammes.
Jambon : 95 grammes.
2 oignons.
2 carottes.
Bouillon : 3/4 de verre.
Sel, poivre.
Bouquet garni.

Choisir un beau morceau d'aloyau que l'on fera parer par le boucher. Mettre au fond d'une casserole des lames de lard et de jambon, des carottes et des oignons émincés. Y placer l'aloyau et mouiller avec du bouillon, puis faire partir à grand feu, saler et poivrer. Au moment de l'ébullition, régler le feu ou retirer au coin du fourneau. Couvrir la casserole d'une feuille de papier beurré, puis glisser la casserole au four après l'avoir recouverte de son couvercle. Retourner l'aloyau après deux heures de cuisson, de façon que l'autre côté baigne à son tour. Faire cuire deux heures encore. Egoutter l'aloyau, le parer, le tenir au chaud, dégraisser et faire réduire la sauce. En masquer la pièce d'aloyau au moment de servir. Servi avec une mayonnaise, cet aloyau constitue un excellent plat froid.

ALOYAU À LA MÉRIDIONALE (RÔTI)

Aloyau : 2 kilogrammes.
Lard : 125 grammes.
Jambon : 125 grammes.
3 anchois.
Bardes de lard.
1 citron.

Faites une bonne farce avec du lard, des anchois, de la moelle de bœuf, des fines herbes et un peu d'ail ; hachez bien le tout ; ajoutez à ce hachis, beurre et huile en le travaillant ; salez, poivrez, épicez. Votre quartier d'aloyau étant bien paré et piqué de jambon, entourez-le de bardes de lard sur lesquelles vous avez étalé la farce et ficelez-le de manière qu'il en soit complètement enveloppé. Par-dessus les bardes de lard, fixez un papier graissé et mettez ainsi votre aloyau à la broche. Lorsque votre rôti est presque cuit, enlevez le papier, pour que l'aloyau prenne belle couleur et servez-le avec son jus relevé du jus d'un citron.

BŒUF À LA MODE

Bœuf : 750 grammes.
Beurre : 40 grammes.
Huile : 25 grammes.
Bouillon : 3/4 de verre.
Oignons, girofle, persil, thym.
Laurier, carottes.
Sel et poivre.
Vin blanc : 3/4 de verre.

Choisir de la tranche ou de la culotte de bœuf. Le faire larder et le mettre à mariner pendant quarante-huit heures dans un demi-verre environ de vinaigre, 3/4 de verre d'eau et 3/4 de verre de vin blanc. Y ajouter oignon, thym, sel, poivre, clous de girofle, laurier et persil. Mouiller le tout d'une légère couche d'huile.

Faire roussir 40 grammes de beurre dans un récipient fermant très bien, y mettre le morceau de bœuf et l'y faire prendre couleur de tous côtés. Ajouter carottes, oignons, un bouquet garni, sel, poivre et une gousse d'ail. Verser sur le tout la marinade chauffée et passée, un grand bol d'eau chaude ou de bouillon chaud, un demi-verre de vin blanc ou un petit verre d'eau-de-vie. Fermer hermétiquement la casserole et laisser cuire cinq heures. Dégraisser la sauce avant de servir, la lier, si cela est nécessaire, avec un peu de farine délayée dans de l'eau, passer au tamis et la verser sur le bœuf mode.

BŒUF MIROTON AUX PRUNEAUX

Faites tremper à l'avance une demi-livre de bons pruneaux dans du vin. Le lendemain matin, quatre heures avant le déjeuner, émincez une pleine casserole d'oignons, faites-les cuire à petit feu, dans du beurre avec sel, poivre et un morceau de sucre, jusqu'à l'état de purée ; à moitié cuisson, ajoutez-y les pruneaux égouttés et dénoyautés et, une heure avant de servir, placez votre bœuf bouilli, coupé en lanières, dans ce miroton où il devra bouillir à petit feu et servez.

ENTRECÔTE À LA BORDELAISE

Entrecôte : 375 grammes.
Beurre : 40 grammes.
Huile : 25 grammes.
1 citron.
Persil, échalote.

Trempez l'entrecôte de chaque côté dans de l'huile d'olive. La poser ensuite sur un gril préalablement chauffé. L'entrecôte doit y cuire à feu très vif et des deux côtés pendant sept à huit minutes. Saler, poivrer et la dresser sur un plat tenu au chaud.

Saupoudrer l'entrecôte de persil et d'échalote finement hachés et faire fondre, sans bouillir, 40 grammes de beurre auquel on ajoutera le jus d'un citron. En arroser l'entrecôte avant de servir.

LANGUE DE BŒUF À L'ITALIENNE

1 langue de bœuf.
Lard maigre : 95 grammes.
Beurre : 20 grammes.
Carottes et navets.
Sel et poivre en grains.
2 poireaux.
Céleri, oignon.
Girofle, ail, persil.
Thym, laurier.

Faire un bouillon de légumes avec carottes, poireaux, navets, une gousse d'ail, un oignon piqué de girofle, une branche de céleri, une poignée de sel et quelques grains de poivre. Au moment de l'ébullition mettre à cuire la langue de bœuf dans ce bouillon qui fera d'ailleurs un excellent potage. Faire cuire trois heures au minimum. La retirer lorsqu'elle est encore ferme, lui enlever complètement la peau et la laisser refroidir. La piquer ensuite de lardons sur le dessus et la faire cuire une heure au four en l'arrosant sans cesse avec du bouillon et un bon morceau de beurre. La laisser ainsi absorber tout son jus et la servir, en mettant tout autour du cresson. Accompagner d'une sauce italienne.

BŒUF À LA MÉNAGÈRE

Bœuf : 0 kg. 750.
Lard.
Légumes.
Cornichons.

Prendre une belle côte de bœuf de 0 kg. 750. La larder avec du lard gras et la faire revenir dans une casserole avec des oignons et des carottes coupées en tranches. Mouiller avec moitié eau et moitié bouillon. Assaisonner fortement. Laisser cuire deux heures et servir avec des cornichons.

BIFTECKS À LA SAUCE ANGLAISE

3 biftecks.
Beurre : 65 grammes.
2 anchois.
Câpres.

Choisir 3 biftecks assez épais. Les faire griller. Préparer d'autre part un beurre d'anchois auquel on aura ajouté un peu de farine. Mettre en même temps sur le feu, dans une petite casserole, un demi-verre de bouillon avec un morceau de coulis ou de jus de viande refroidi, et le beurre d'anchois. Faire bouillir et ajouter aussitôt une petite poignée de câpres et du beurre pour lier le tout. Quand la sauce sera assez épaisse et bien remuée, la verser bien chaude sur les biftecks cuits à point.

BIFTECKS AU BEURRE D'ANCHOIS

3 biftecks.
2 anchois.
Beurre : 65 grammes.
1/2 citron.

Choisir 3 bons biftecks. Bien les parer et les faire griller. Retirer 2 anchois de la saumure. Enlever l'arête du milieu et les tremper une heure dans l'eau fraîche pour les dessaler. Bien les laver et achever de les éplucher pour ne garder que les filets. Faire fondre ces filets sur le feu, dans une petite casserole, avec 65 grammes de bon beurre. Remuer la sauce, ajouter au moment de servir une bonne pincée de persil haché, de jus de citron et napper les biftecks avec cette sauce appétissante. On pourra servir une entrecôte de la même façon.

BIFTECKS SAUTÉS AUX OLIVES

3 biftecks.
1/2 livre d'olives rondes.
Vins blanc.

Choisir 3 bons biftecks. Les parer, les aplatir et les faire sauter dans un sautoir avec saindoux. Les retirer après la cuisson des deux côtés à point et assaisonnés. Faire réduire, d'autre part, un demi-verre de vin blanc sec, ajouter une bonne cuillerée de jus et des olives vertes dénoyautées. Laisser bouillir quelques minutes. Dresser les biftecks en couronne, la garniture au milieu et arroser le tout avec la sauce.

BOULETTES

Hacher finement la viande de bœuf qui reste. L'additionner de chair à saucisse et de veau ou de poitrine de porc également hachés et passés à la casserole avec un bon morceau de beurre, sel, poivre, épices. Former des boulettes avec ce hachis, les rouler dans la farine et les faire revenir dans un plat avec du beurre. Ces boulettes pourront être servies soit avec un coulis de tomates, soit avec la sauce suivante : jeter dans le beurre une poignée de persil et d'oignons hachés mêlés de chapelure, ajouter quelques cuillerées de bon bouillon. Arroser de cette sauce les boulettes bien chaudes.

BOULETTES FRITES

Hacher les restes de bœuf, volailles, veau, etc., avec du sel, du poivre et des oignons. Faire cuire quelques pommes de terre à l'eau, les écraser, les mêler à un jaune d'œuf et rouler avec un peu de farine. Couper cette pâte en rond, placer un peu de hachis au centre de chaque rond, replier en boules et faire frire.

DAUBE À LA PROVENÇALE

1 kilogramme de bœuf.
Vin rouge.
Vinaigre.
Légumes.
Lard : 125 grammes.

Prendre un kilogramme de bœuf, dans le gîte à la noix ou la tranche grasse. Le couper en morceaux carrés que l'on mettra à mariner au moins deux heures et demie dans un verre et demi de vin rouge, un demi-verre de vinaigre, 2 oignons, autant de carottes, bouquet garni, sel, poivre, épices.

Mettre dans un petite marmite en terre un quart de lard haché, un demi-oignon coupé que l'on fera roussir et ajouter le bœuf avec les légumes égouttés. Faire sauter un moment, ajouter quelques gousses d'ail et un bouquet garni. Mouiller avec la marinade et faire réduire de moitié. Ajouter un verre d'eau chaude, couvrir hermétiquement et laisser cuire deux heures à deux heures et demie sans laisser attacher.

Une fois refroidi, le bœuf ainsi préparé tourne en gelée. Il pourra donc être versé en totalité ou en partie, dans un moule et servi le lendemain au déjeuner. C'est excellent.

FILET DE BŒUF RÔTI

Filet de bœuf : 0 kg. 900.
Lard.
Huile.
1/2 citron.

Prendre un beau morceau de filet, le parer, le piquer et le faire mariner pendant douze heures dans de l'huile avec du sel, du poivre, du persil, du laurier et des tranches d'oignons. L'embrocher et le laisser cuire vingt minutes. Verser dans son jus le jus d'un demi-citron et servir. On peut remplacer le jus de citron par un filet de vinaigre. Entourer le tout d'une bordure de cresson.

FILET DE BŒUF SAUCE TOMATE

Filet de bœuf : 0 kg. 500.
Beurre : 30 grammes.
Tomates : 250 grammes.

Choisir 3 tranches de filet de bœuf, de l'épaisseur d'un bifteck. Après les avoir légèrement aplaties, les saupoudrer de sel fin et les faire cuire dans un sautoir avec un peu de beurre. Lorsqu'ils seront un peu colorés, ajouter du coulis ou du jus de viande refroidi et les laisser finir de cuire à petit feu. Au moment de servir, verser de la sauce tomate dans le fond du plat et dresser les filets en couronne.

ENTRECÔTE À LA BERCY

Entrecôte : 700 grammes.
Beurre : 150 grammes.
Vin blanc.
1 citron.
Moelle : 125 grammes.

Faites cuire une belle entrecôte de bœuf sur le gril, ou mieux dans un sautoir avec un morceau de beurre, et tenez-le saignant pour le servir arrosé de la sauce suivante : hachez finement quelques échalotes, faites-les revenir à peine dans la cuisson de l'entrecôte dont vous avez enlevé l'excès de graisse ; ajoutez un verre de vin blanc, faites-le réduire de moitié, ajoutez un peu de glace de viande, un quart de moelle coupée en petits dés ; faites mijoter au coin du feu quelques minutes et ajoutez, au dernier moment, un morceau de beurre, un jus de citron et du persil haché. Servez très chaud.

LANGUE DE BŒUF À L'ÉCARLATE

1/2 langue de bœuf. Divers.

Faites blanchir à l'eau bouillante un beau quartier de langue de bœuf, frottez-la avec du sel salpêtré, mettez dans une terrine, couvrez de sel, posez dessus une assiette renversée avec un poids dessus et laissez ainsi dix ou douze heures. Placez la langue dans un vase, couvrez-la de saumure cuite et froide, remettez l'assiette avec le poids. Laissez tremper, au frais, de cinq à six jours, en la retournant de temps en temps, puis faites-la cuire trois ou quatre heures à l'eau froide à petit feu. Faites-la refroidir, sous presse, et enlevez la peau.

RESTES DE BŒUF AUX TOMATES ENTIÈRES

Ayez de belles tomates bien mûres, faites-les revenir dans du beurre sans les laisser griller ; ajoutez une pincée de farine, 2 verres de bouillon, sel, poivre, une pointe d'ail, un oignon et un peu de persil. Faites cuire une heure ce mélange, retirez les tomates au moment voulu et mettez votre bœuf bouilli quelques minutes dans la sauce. Servez votre bouilli, avec les tomates en couronne dressées sur un croûton frit au beurre. Il va sans dire que les tomates auront été retirées à temps, pour qu'elles ne soient pas brisées et de mauvaise présentation.

ROGNON DE BŒUF AUX CHAMPIGNONS

1 rognon de bœuf.
Beurre : 125 grammes.
Vin blanc.
Champignons : 250 grammes.

Faites blanchir quelques minutes dans l'eau bouillante un rognon de bœuf ouvert et bien paré ; coupez-le en tranches minces et faites sauter deux minutes, à feu vif, dans du beurre ; ajoutez une cuillerée de farine, mouillez avec un demi-verre de bon vin blanc, un peu de bouillon ou un jus, ajoutez une demi-livre de champignons préparés, et, au moment de servir, saupoudrez de persil haché. Au lieu de faire blanchir le rognon, ce qui a pour but de lui faire perdre le mauvais goût qu'il a quelquefois et de l'attendrir, on peut, pour atteindre ce dernier but, se contenter de le saler et poivrer après qu'il a été paré.

Mouton et Agneau

Blanquette d'agneau.
Cervelles à la provençale.
Cervelles de mouton financière.
Côtelettes de mouton à la jardinière.
Côtelettes de mouton à la poêle.
Côtelettes de mouton à la Pompadour.
Épaule de mouton aux olives.
Épaule de mouton roulée et farcie.
Filets mignons aux pommes de terre.
Fressure d'agneau à la ménagère.
Gigot d'agneau (même préparation que gigot de mouton).
Gigot de mouton à l'italienne.
Gigot à la Montaigu.
Gigot de mouton à la provençale.
Gigot de mouton mariné.
Haricot de mouton.
Pieds de mouton en poulette.
Rognons de mouton en brochettes.

CERVELLES À LA PROVENÇALE

6 cervelles. Crépine. Huile. Vin blanc. 1 citron.

Après avoir mis des cervelles à dégorger dans de l'eau, faites-les blanchir et cuire dans du bouillon, avec des crépines de mouton et 3 cuillerées d'huile d'olive ; ajoutez-y un verre de vin blanc, sel, poivre et jus de citron, avec persil, cerfeuil et une gousse d'ail blanchie ; les cervelles étant cuites, sortez-les ; laissez réduire la sauce et servez-la par-dessus. On peut les saupoudrer avec de la croûte de pain pilée, ou les servir avec une sauce piquante.

CERVELLES DE MOUTON FINANCIÈRE

3 cervelles.
Champignons : 200 grammes.
Beurre : 75 grammes.
Farine : 35 grammes.
Vinaigre : 15 grammes.
Vin blanc : 1/2 verre.
Eau : 3/4 de verre.
1 truffe.
Sel, poivre.
Bouquet garni.
1 citron.
3 tranches de pain grillé.

Mettre à dégorger dans de l'eau froide largement salée 3 cervelles de mouton bien fraîches pendant une demi-heure. Les retirer avec précaution et les mettre dans une casserole avec l'eau, une cuillerée ou deux de vinaigre, une carotte coupée en morceaux, un oignon, un bouquet garni, du sel et du poivre. Les cuire doucement pendant huit minutes. A partir du moment où ce court-bouillon entre en ébullition, laisser refroidir dans l'eau de cuisson, puis les éplucher en supprimant la mince pellicule qui les recouvre. Pendant leur cuisson, préparer une sauce rousse ou espagnole blonde mouillée de moitié eau et moitié vin blanc, saler et poivrer. Ajouter une demi-douzaine de petits oignons et une demi-livre de champignons. Laisser cuire. Préparer une truffe en la lavant, couper au milieu 3 rondelles que l'on réservera et hacher finement les extrémités que l'on joindra à la sauce. Lorsque celle-ci sera à point, y mettre les cervelles qui finiront de cuire. Au moment de servir, faire roussir dans du beurre 3 tranches de pain sans croûte et y poser les cervelles. Mettre sur celles-ci une rouelle de truffe. Verser la sauce et les champignons par le milieu et décorer le plat de tranches de citron.

CÔTELETTES DE MOUTON À LA JARDINIÈRE

6 côtelettes. Légumes divers. Beurre.

Ayez 6 côtelettes premières, mettez-les dans une sauteuse avec du beurre, faites-les cuire et prendre couleur des deux côtés. Dressez-les en couronne, sur un plat chaud, arrosées de leur jus et mettez au milieu une garniture composée de légumes de saison, taillés, s'il est besoin, et cuits au beurre et liés.

CÔTELETTES DE MOUTON À LA POÊLE

3 côtelettes. Tomates. Ail.

Choisir 3 belles côtelettes. Bien les parer. Les faire sauter à la poêle dans un peu de lard râpé et fondu. Les saler et leur faire prendre couleur. Ajouter quelques gousses d'ail entières. Retirer les côtelettes saignantes et faire cuire, dans leur jus, une tomate sans pépins que l'on aura épluchée et bien hachée avec les gousses d'ail, sel, poivre et persil haché. Dresser les côtelettes masquées de cette sauce très appétissante.

CÔTELETTES DE MOUTON À LA POMPADOUR

3 côtelettes.
2 œufs.
Beurre.
Légumes.

Choisir 3 belles côtelettes. Les parer et les faire braiser. Préparer d'autre part une sauce Soubise. Lier cette sauce avec des jaunes d'œufs et en masquer les côtelettes à chaud. Saupoudrer les côtelettes de mie de pain, les ranger dans un sautoir et les mouiller, à fleur de la farce, avec la première cuisson. Couvrir d'un papier beurré et faire prendre légèrement couleur. Les servir autour d'une garniture de petits pois et de pointes d'asperges.

ÉPAULE DE MOUTON AUX OLIVES

Une petite épaule de 0 kg. 750. Olives vertes : 125 grammes. Lard.

Choisir une petite épaule de mouton. La faire désosser par le boucher jusqu'à la moitié du manche. La piquer de lardons salés et poivrés. La ficeler en lui donnant une belle forme. Préparer, d'autre part, dans une casserole, des bardes de lard ; mettre dessus l'épaule, avec carottes, un oignon, laurier, thym et girofle. Mouiller de préférence avec du bouillon et faire cuire à petit feu. A la fin de la cuisson, retirer la ficelle et dresser l'épaule sur le plat, entourée d'un ragoût d'olives vertes cuites dans un roux léger et mouillé du jus de la cuisson.

ÉPAULE DE MOUTON ROULÉE ET FARCIE

Mouton : 600 grammes.
Tomates : 200 grammes.
Beurre : 20 grammes.
Champignons : 45 grammes.
Chair à saucisse : 45 gr.
Viandes de desserte.
Mie de pain : 20 grammes.

Prendre une belle épaule de mouton. Désosser et enlever les nerfs de cette épaule, en réserver les os. L'aplatir de telle sorte qu'il soit possible de la tartiner d'une farce faite avec des viandes de desserte, un peu de porc ou de chair à saucisse, quelques champignons, une boule de mie de pain, un oignon, quelques branches de persil, le tout finement haché. Rouler l'épaule et la coudre pour en former une grosse papillote en évitant que la farce ne sorte. La piquer à son extrémité d'une gousse d'ail que l'on enlèvera avant de servir. Faire dorer dans du beurre roussi. Ajouter sel, poivre, tous les os, une ou deux cuillerées d'eau tiède et 2 tomates que l'on piquera de toutes parts à la fourchette pour que le jus sorte. Laisser cuire deux heures un quart à petit feu et couvert. Servir très chaud en arrosant de la sauce que l'on aura passée au tamis ou à la passoire fine.

FILETS MIGNONS AUX POMMES DE TERRE

12 filets. Pommes de terre : 500 gr. Beurre. 1 citron.

Parez 12 petits filets mignons de mouton ; assaisonnez-les de sel et de cerfeuil haché et trempez-les dans du beurre fondu. Au moment de servir, faites-les griller, glacez-les de belle couleur avec un bon jus et dressez-les saupoudrés de sel, arrosés de jus de citron, avec des pommes de terre frites au beurre.

GIGOT DE MOUTON À L'ITALIENNE

1 gigot. Céleri. Cornichons. Lard. Légumes.

Procurez-vous un gigot bien tendre ; levez-en la peau sans la détacher du manche, lardez toute la chair avec du céleri à moitié cuit sous la braise ou dans du bouillon, des cornichons coupés en lardon, quelques brins d'estragon blanchi, du lard, le tout assaisonné légèrement, et quelques filets d'anchois ; remettez la peau par-dessus de façon qu'il n'y paraisse point, arrêtez-la avec de la ficelle de peur qu'elle ne se retire en cuisant, faites rôtir votre gigot à la broche et servez-le avec une sauce à l'échalote.

GIGOT À LA MONTAIGU

Un petit gigot.
Lard.
Pommes de terre : 250 gr.
Légumes.
Beurre : 30 grammes.

Beurrer un plat allant au four, garnir le fond de tranches minces de lard de poitrine, d'oignons et de pommes de terre taillées en tranches également minces. Ajouter de l'ail, du sel et du poivre. Beurrer le gigot, le placer au milieu de ces légumes et qu'il en soit comme couvert. Ajouter un bouquet garni. Mettre le plat à four très chaud et laisser cuire pendant une heure trois quarts. Servir dans le plat de cuisson.

GIGOT DE MOUTON À LA PROVENÇALE

Petit gigot : 1 kg. 125.
Lard de poitrine : 95 grammes.
Beurre : 20 grammes.
2 gousses d'ail.
3 oignons.
4 carottes.
3 navets.
Vin blanc : 3/4 de verre.
Bouillon : 3/4 de verre.
Bouquet garni.
Sel, poivre.

Prendre un petit gigot de 1 kg. 125. Le désosser et, à la place de l'os, glisser quelques gousses d'ail, un peu de sel et de poivre, puis reconstituer le gigot en le couvrant et en le ficelant. Hacher 100 grammes de lard de poitrine, le faire fondre à la casserole dans un peu de beurre et faire revenir dans tout ceci le gigot qui devra prendre de tous côtés une belle couleur dorée. Préparer, pendant ce temps, 3 oignons, 4 carottes, 3 navets que l'on coupera menu et que l'on fera revenir pendant quelques minutes dans du beurre. Ajouter sel, poivre, une gousse d'ail et mouiller avec 3/4 de verre de vin blanc chauffé au préalable, autant de bouillon, également chaud. Mettre un bouquet garni, couvrir et laisser bouillir dix minutes. Au bout de ce temps, verser la sauce sur le gigot et laisser finir la cuisson très doucement. Entre-temps, préparer vite à la poêle une purée de tomates que l'on ajoutera au gigot. Servir ce dernier, débridé, très chaud, entouré de sa garniture de cuisson dégraissée.

GIGOT DE MOUTON MARINÉ

Petit gigot : 1 kg. 125.
Beurre : 40 grammes.
Farine : 25 grammes.
Vinaigre : 60 grammes.
Vin rouge : 1 verre et demi.
Eau : 3/4 de verre.
Oignons, carottes.
Ail, thym, laurier.
Persil, clous de girofle.
Sel, poivre.

Choisir un gigot de jeune mouton sectionné au ras de la selle. Le mettre dans une marinade composée de : un verre et demi de vin rouge, 3/4 de verre d'eau, 3 cuillerées de vinaigre de vin, 3 cuillerées d'huile blanche, un oignon et une carotte coupée en rouelles, une gousse d'ail, du thym, du laurier, des clous de girofle, du sel et du poivre en grains. L'arroser chaque jour, pendant 3 jours, en le retournant, de façon qu'il soit mariné de tous côtés. Faire rôtir le gigot comme à l'ordinaire. Faire cuire, d'autre part, la marinade sur le feu. La passer à la passoire fine et la lier avec un roux blond mélangé à 40 grammes de beurre. Servir cette sauce chasseur dans une saucière en même temps que le gigot.

HARICOT DE MOUTON

Poitrine : 0 kg. 500.
Légumes.
Pommes de terre : 250 gr.

Choisir 0 kg. 500 de poitrine de mouton. La faire roussir et la retirer du feu. Préparer d'autre part un roux assez abondant pour que la viande puisse y baigner. Ajouter sel, poivre, une gousse d'ail et un bouquet garni. Faire bouillir pendant une heure et demie et, une demi-heure avant de servir, ajouter des petites pommes de terre entières de même grosseur.

PIEDS DE MOUTON EN POULETTE

6 pieds de mouton.
Beurre : 100 grammes.
Farine : 70 grammes.
1 œuf.
1 citron.
Oignons, bouquet garni.
Sel, poivre.

Tremper les pieds de mouton à l'eau froide salée, avant d'être blanchis dans de l'eau salée et vinaigrée dans laquelle ils cuiront une heure vingt. Entre-temps, préparer la sauce poulette de la manière suivante : faire fondre 75 grammes de beurre dans une casserole et y mélanger au fur et à mesure 70 grammes de farine. Mouiller soit avec du bouillon de poulet, soit plus simplement avec de l'eau. Ajouter quelques petits oignons, un bouquet garni, du sel, du poivre et laisser cuire vingt minutes. Ajouter alors les pieds de mouton égouttés sur un torchon afin qu'ils n'aient plus d'eau. Faire cuire encore dix minutes, puis lier la sauce comme suit : mettre, dans une terrine, 20 grammes de beurre et un jaune d'œuf. Verser doucement un peu de sauce blanche en mélangeant œuf et beurre. Remettre cette liaison dans la casserole, la mélanger au reste avec le jus d'un demi-citron sans faire bouillir. Servir très chaud.

ROGNONS DE MOUTON EN BROCHETTES

12 rognons. Huile. Beurre : 200 grammes.

Les rognons étant ouverts en deux et la peau qui les enveloppe étant enlevée, on les traverse d'une brochette en métal ou en bois, et, après les avoir salés, poivrés et huilés, on les sert très chauds avec un morceau de beurre et du persil haché, accompagnés, souvent, de pommes de terre paille. Au lieu de les griller entiers, il est d'usage, dans le Midi, de couper en dés chaque rognon et de mettre les morceaux en brochettes, en alternant chaque fois avec un morceau de lard mince et gros comme une pièce de un franc. Ainsi préparés les rognons sont exquis et se servent nature. Quand on a des foies de volailles, on se trouvera bien de les utiliser de cette manière.

BLANQUETTE D'AGNEAU

1 kilogramme d'épaule d'agneau. coupée en morceaux.
Beurre.
Légumes.

Faites blanchir votre viande dans l'eau froide, afin de la débarrasser du sang qui y adhère ; changez l'eau ; mettez sur le feu oignons, carottes, thym et beurre. Egouttez la cuisson qui vous servira pour mouiller votre sauce. Faites un blanc avec 60 grammes de beurre et autant de farine que vous remuez bien jusqu'à cuisson. Ajoutez votre viande, laissez bouillir et servez. On peut lier la sauce avec un ou 2 jaunes d'œufs.

FRESSURE D'AGNEAU À LA MÉNAGÈRE

1 fressure d'agneau. Vin blanc. 2 œufs.

On nomme fressure l'ensemble des poumons, du foie, de la rate et du cœur. Celle d'agneau est très délicate et nous recommandons cette recette aux cuisinières économes.

Coupez en petits morceaux les diverses parties de la fressure. Faites fondre dans une casserole un peu de bonne graisse, un oignon haché et faites revenir le tout, sans que la viande prenne trop de couleur. Saupoudrez d'un peu de farine, mouillez avec du bouillon et un verre de vin blanc, ajoutez le bouquet, assaisonnez suffisamment et laissez cuire quinze minutes pour que la fressure ne durcisse pas, mais à la condition que les morceaux soient petits et réguliers. Ajoutez ail et persil hachés et liez avec deux jaunes d'œufs.

Porc

Andouilles aux choux.
Blanquette de porc frais.
Carré de porc sauce Robert.
Chair à saucisse pour farcir.
Côtelettes de porc aux tomates.
Escalopes de jambon à la Comus.
Filet de porc au riz.
Filet de porc à la casserole (rôti).
Foie de porc chasseur.
Jambon aux épinards.
Jambon chaud à la Lucullus.
Jambon en croûte.
Poitrine de porc en meurette.
Saucisses au vin blanc.
Saucisses gratinées.
Saucisses plates (mode de fabrication).

ANDOUILLES AUX CHOUX

1 choux.
Chair à saucisse : 500 gr.
1 boyau.
Épices.

Coupez en menus morceaux des feuilles de choux, blanchissez-les quelques minutes à l'eau salée, égouttez-les bien, pressez-les, puis mélangez-leur de la chair à saucisse, salez, poivrez. Remplissez un gros boyau de porc, liez-le aux deux extrémités, saupoudrez de sel fin et faites-le cuire à l'eau, quelques heures, mais cinq à six jours après seulement.

BLANQUETTE DE PORC FRAIS

On pourra faire une excellente blanquette avec les restes d'un rôti de porc en procédant comme pour l'agneau et le veau. On veillera seulement à ce que les tranches soient coupées très minces. Assaisonner un peu plus fortement et ajouter un ou deux brins de sauge sèche.

CARRÉ DE PORC SAUCE ROBERT

Porc : 750 grammes.
Beurre : 40 grammes.
Sel, poivre, ail.

Choisir 750 grammes de porc frais pris dans le filet et les basses côtes. Le faire désosser, réserver les os et saupoudrer de sel le porc. Deux jours après, le mettre à rôtir dans une cocotte, après l'avoir fait dorer de tous côtés dans du beurre fondu, en ajoutant à côté les os, pour former du jus, et une petite gousse d'ail que l'on ôtera avant de servir. Poivrer légèrement et faire cuire lentement. Il faut compter environ une heure par livre de viande. Servir le rôti accompagné d'une sauce Robert.

CHAIR À SAUCISSE POUR FARCIR

Il est très bon de savoir préparer soi-même cette farce, car on est alors sûr de son contenu. Prendre une égale quantité de gras et de maigre de viande de porc, hacher finement le tout, saler et poivrer. On pourra y ajouter des restes de volailles ou viandes rôties, gibier, etc. Cette préparation sera excellente pour farcir des légumes.

CÔTELETTES DE PORC AUX TOMATES

3 côtelettes.
Tomates : 250 grammes.
Beurre : 65 grammes.
Vin blanc.

Choisir 3 belles côtelettes, les faire sauter au beurre, les retirer et les tenir au chaud. Mettre, dans ce jus, 3 tomates bien épluchées et coupées en dés, une gousse d'ail, un demi-verre de vin blanc, un morceau de beurre, du sel, du poivre, du persil, de l'estragon et des épices. Laisser cuire quinze minutes à petit feu. Dresser les côtelettes, en couronne, autour des tomates.

ESCALOPES DE JAMBON À LA COMUS

6 tranches de jambon cru de 125 grammes.
Vin blanc.
Lard.

Coupez dans la noix d'un jambon cru de bonne provenance 6 escalopes, faites-les sauter avec un peu de lard fondu et suer à petit feu ; ensuite, mouillez-les avec un peu d'eau, continuez de les cuire doucement ; dressez-les sur votre plat ; détachez, avec un verre de champagne ou de vieux vin blanc sec, le fond de votre sauteuse, ajoutez quelques grains de poivre et un petit filet de vinaigre. Versez sur vos tranches dressées cette sauce qui doit être réduite.

FILET DE PORC AU RIZ

Filet de porc : 750 grammes.
Lard de poitrine fumé : 45 grammes.
Beurre : 20 grammes.
1 oignon.
Riz Caroline : 100 grammes.
Bouillon : 3/4 de litre.
Sel, poivre.

Mettre à dorer dans une casserole profonde ou un faitout 45 grammes de lard de poitrine fumé coupé en petits dés, un oignon émincé, le tout dans 20 grammes de beurre. Lorsque les lardons commenceront à roussir, mettre sur cet appareil un beau filet de porc qui prendra couleur de tous côtés, saler et poivrer. Ajouter quelques échalotes hachées, du thym et 4 cuillerées de beau riz Caroline. Couvrir avec 3/4 de litre de bouillon bouillant et laisser mijoter à feu doux pendant deux heures un quart. Surveiller le riz. Au fur et à mesure qu'il gonfle, ajouter un peu d'eau ou de bouillon chaud, mais éviter de remuer. Enlever le filet lorsqu'il sera cuit, le placer au centre d'un plat creux, l'entourer du riz et du jus de cuisson que l'on aura, s'il y a lieu, légèrement dégraissé.

FILET DE PORC RÔTI À LA CASSEROLE

Filet de porc : 750 grammes.
Beurre : 20 grammes.
1 gousse d'ail.
Bouquet garni.
Sel, poivre.

Faire revenir 750 grammes de filet de porc dans 20 grammes de beurre fondu dans une cocotte ou un faitout. Saler et poivrer pendant qu'il prend couleur, ajouter une gousse d'ail sans en piquer la viande, un petit bouquet garni, puis, lorsque le rôti sera doré de toutes parts, mouiller avec un demi-verre de bouillon et fermer hermétiquement la casserole après avoir réglé le feu qui doit être doux. Laisser cuire une heure et demie, puis dégraisser la sauce et la servir à part dans une saucière, pendant que l'on dressera le rôti de porc débridé avec une garniture de pommes de terre à l'anglaise.

FOIE DE PORC CHASSEUR

Foie : 325 grammes. Lard, crépine. Divers.

Choisir un beau morceau de foie, le fendre par le milieu en le laissant tenir d'un côté, faire à l'intérieur des entailles régulières, saler, poivrer et le mariner dans un peu d'huile d'olive. Quand il aura pris goût, mettre sur la partie ouverte une farce composée de lard, de persil et d'échalote hachés ensemble avec un peu d'ail. Refermer le foie et l'envelopper de crépine. Le poser entre deux bardes de lard, dans un plat allant au four. Après cuisson, un filet de vinaigre relèvera très bien le fumet.

JAMBON AUX ÉPINARDS

Demi-jambon moyen.
Épinards : 375 grammes.
Beurre.
Légumes.

Prendre un demi-jambon de Bayonne. Le racler, le désosser et le ficeler en bonne forme. Le mettre dans une braisière avec une petite poignée de foin, un peu de coriandre, quelques navets, des carottes, et recouvrir d'eau froide. Placer sur le feu et recouvrir. A la première ébullition, retirer sur le côté sans découvrir, où il terminera sa cuisson, sans ébullition, pendant une heure et demie à deux heures. Faire, d'autre part, blanchir 375 grammes d'épinards que l'on hachera très finement. Y ajouter un peu de beurre et du bon jus. Les dessécher sur le feu en les tournant avec une cuiller, assaisonner et servir avec le jambon.

JAMBON CHAUD À LA LUCULLUS

1 jambon.
Foie gras : 300 grammes.
3 œufs.
Truffes.
Légumes.
Madère.

Ayez un jambon de moyenne grosseur que vous faites désosser complètement. Etalez-le sur la table et farcissez-le avec 300 grammes de foie gras cru et pilé avec 3 jaunes d'œufs, pour un jambon de 5 kilogrammes. Ajoutez quelques truffes hachées. Roulez votre jambon et ficelez-le comme une galantine ; enveloppez-le, ensuite, dans une serviette bien serrée et ficelée. Plongez le jambon dans l'eau froide et chauffez jusqu'à ébullition. Après ébullition, comptez une demi-heure par kilogramme de viande et ajoutez à l'eau une carotte, un oignon, 2 clous de girofle et un bouquet garni ; couvrez. Une fois cuit, débarrassez votre jambon de son enveloppe, dressez-le sur un plat garni d'une serviette pliée et servez à part une sauce madère truffée.

JAMBON EN CROÛTE

1 petit jambon.
Madère : 1/2 litre.
Pâte brisée chez un pâtissier.

Faites dessaler, pendant trois ou quatre jours, un petit jambon ; enveloppez-le entièrement d'une pâte brisée comme pour un pâté ; croisez bien les bords de la pâte en les mouillant, afin que cela adhère et qu'il n'y ait pas de fuite. Faites un trou au milieu, pour la cheminée, comme vous voyez sur tous les pâtés. Faites cuire trois heures au four. Versez alors, par la cheminée, un demi-litre de madère, si vous préférez ; laissez cuire encore environ deux heures. Un plat d'épinards ou de chicorée accompagne souvent le jambon.

POITRINE DE PORC EN MEURETTE

Poitrine : 500 grammes.
Vin rouge.
Beurre.
Légumes.

Faites revenir un demi-kilogramme de poitrine coupée en morceaux, dans du beurre, avec sel, poivre, un peu de farine, puis mouillez avec du vin rouge, un peu de bouillon. Remuez bien et laissez cuire à feu modéré en ajoutant un bouquet garni, de petits oignons, une gousse d'ail. La cuisson terminée, dressez sur un plat les petits oignons autour et servez.

SAUCISSES AU VIN BLANC

6 saucisses.
Beurre : 30 grammes.
Légumes.
Vin blanc.

Choisir 6 saucisses longues de charcutier. Les piquer, leur faire prendre belle couleur dans du beurre, les retirer et les tenir au chaud. Ajouter au beurre de la poêle quelques petits oignons émincés, les faire blondir, les mêler avec un peu de farine, mouiller avec un demi-verre de vin blanc, ajouter du persil haché, du sel, du poivre et laisser mijoter un peu, faire réduire la sauce, la passer et la verser sur les saucisses.

SAUCISSES GRATINÉES

6 saucisses longues. Pommes de terre : 1/2 kilogramme.
Beurre : 65 grammes.

Choisir une demi-douzaine de saucisses longues et fraîches. Les faire raidir simplement au feu, dans un peu de beurre. Préparer une purée de pommes de terre, que l'on finira avec 2 jaunes d'œufs et un morceau de beurre. La dresser en dôme sur le plat, les saucisses autour, avec le jus, et mettre à un four modéré pendant quelques minutes.

SAUCISSES PLATES (MODE DE FABRICATION)

Hachez de la viande de porc, débarrassée des peaux et des nerfs, avec quantité égale de lard ; ajoutez persil, ciboules, thym, sel et épices ; mélangez bien le tout ; formez-en de petites masses ovales, aplatissez-les et enveloppez-les avec de la crépine. On les rendra plus délicates en ajoutant du blanc de volaille, ou de la rouelle de veau, des truffes et des champignons hachés.

Veau

Blanquette de veau.
Carré de veau aux fines herbes.
Cervelle de veau en poulette.
Foie de veau aux carottes.
Foie de veau sauté à la minute.
Foie de veau aux oignons.
Fricandeau à l'oseille.
Gâteau de rognon de veau.
Noix de veau à la bourgeoise.
Noix de veau aux pointes d'asperges.
Papillote de veau.
Pieds de veau farcis.
Poitrine de veau farcie.
Queues de veau aux choux.
Ris de veau aux champignons.
Rouelle de veau roulée.
Tête de veau en tortue.
Veau à la Marengo.
Veau rôti à la casserole.

BLANQUETTE DE VEAU

Poitrine de veau : 0 kg. 750.
Champignons : 200 grammes.
Beurre : 40 grammes.
Farine : 35 grammes.
Vin blanc : 3/4 de verre.
Eau : 3/4 de verre.
Oignons, bouquet garni.
Sel, poivre.
1 œuf.
1 citron

Choisir 750 grammes de poitrine de veau. Couper en morceaux que l'on fera dégorger dans l'eau froide. Changer l'eau et couvrir la viande par de l'eau bouillante salée que l'on laissera dix minutes. Egoutter. Faire une sauce blanche et mouiller avec 3/4 de verre d'eau et de vin blanc. Ajouter sel, poivre, bouquet garni, une demi-douzaine de petits oignons. Mettre les morceaux de veau dans cette sauce qui cuira une heure trente au moins, à tout petit feu. Une demi-heure avant de servir, ajouter à la blanquette 200 gr. de champignons qui auront été à moitié cuits dans de l'eau salée. Dresser les morceaux de viande dans un plat, lier la sauce avec le jaune d'un œuf délayé dans le jus d'un citron et en couvrir la blanquette de telle sorte que les champignons soient au centre. Faire tomber les oignons tout autour.

CARRÉ DE VEAU AUX FINES HERBES

Veau : 0 kg. 750.
Champignons : 45 grammes.
Oignons, fines herbes.
Persil, sel, poivre.
Thym, laurier.
Muscade râpée.
Huile blanche : 30 grammes.
Vinaigre : 30 grammes.
Beurre : 40 grammes.
Farine : 12 grammes.
Mie de pain : 22 grammes.
1 œuf.

Prendre un carré de veau de 750 grammes. Le parer et le larder finement. Le faire ensuite mariner dans une terrine avec du persil, des fines herbes, un oignon, quelques champignons, une échalote (tout ceci haché très fin), du sel, du poivre concassé, de la muscade râpée, une feuille de laurier, une de thym et un peu d'huile d'olive. Le laisser dans cette marinade deux heures un quart, puis beurrer un grand papier blanc de cuisine, le tartiner de toutes les épices et y mettre le carré de veau, l'enfermer dans le papier et le ficeler de façon que les herbes ne tombent pas. Mettre à la broche ou au four, avec, dans le fond de la lèchefrite, un peu de bouillon. Après trois quarts d'heure de cuisson environ, débrider le rôti et tenir au chaud. Mettre dans une petite casserole toutes les herbes de la marinade avec le jus de cuisson, une cuillerée et demie de vinaigre, gros comme une noix de beurre, un demi-verre de bouillon, laisser cuire huit minutes, puis lier la sauce avec une petite cuillerée de farine maniée de beurre fondu. Tenir au chaud. On servira le rôti en le frottant avec un peu de beurre fondu, battre avec un jaune d'œuf. Le paner de mie de pain. Faire prendre couleur au four et servir sauce à part.

CERVELLE DE VEAU EN POULETTE

1 cervelle de veau.
Vinaigre.
Sel, poivre.
Girofle, oignon.
Céleri, thym.
Laurier.
Beurre : 40 grammes.
Farine : 12 grammes.
Champignons : 100 grammes.
5 petits oignons.
2 jaunes d'œufs.
Jus de citron.
Croûtons frits.

Faire dégorger pendant environ une heure et demie la cervelle dans de l'eau froide salée. La mettre cuire dans un court-bouillon composé d'assez d'eau pour qu'elle y baigne et dans lequel on ajoutera un peu moins d'un quart de vinaigre, du sel, du poivre, de la girofle, des feuilles de thym et de laurier, du persil, du céleri et un oignon. Lorsque le tout sera en ébullition, régler le feu pour que la cervelle, en cuisant doucement, ne se casse pas. Au bout d'une demi-heure, retirer le tout du feu, laisser tiédir dans le court-bouillon, puis égoutter la cervelle et lui enlever la pellicule très mince qui la recouvre. Faire alors la sauce en faisant fondre sur le feu du beurre dans lequel on délayera une cuillerée de farine, mouiller tout de suite d'un verre d'eau, mettre du sel, du poivre, des petits oignons et 100 grammes de champignons que l'on aura fait blanchir et qui cuiront encore trois quarts d'heure. Ajouter la cervelle et laisser cuire dix minutes. Puis la dresser sur un plat et, avant de la masquer avec la sauce, lier cette dernière avec 2 jaunes d'œufs et le jus d'un demi-citron. Servir en décorant le plat de croûtons frits.

FOIE DE VEAU AUX CAROTTES

Foie de veau : 375 grammes.
Lard gras : 40 grammes.
Beurre : 40 grammes.
Farine : 25 grammes.
Carottes : 750 grammes.
5 oignons.
Thym, laurier.
Sel, poivre.

Prendre 375 grammes de bon foie de veau. Le larder dans le sens de la longueur. Envelopper d'une toilette de veau et faire dorer à feu doux avec quelques oignons. Lorsqu'il aura pris une belle couleur de tous côtés, le retirer de la casserole avec les petits oignons et faire, dans le jus restant, une sauce espagnole brune, assez épaisse. Laisser bouillir huit minutes, passer au tamis cette sauce que l'on remettra sur le feu avec du sel, du poivre, un bouquet garni, les oignons et le foie de veau. Faire bouillir et ajouter 750 grammes de carottes finement coupées en rouelles. Laisser cuire deux heures un quart à feu doux, casserole hermétiquement couverte. Pour servir, débrider le foie et le débarrasser de la toilette. Le mettre dans un plat creux, verser sauce, carottes autour ; le foie froid sera excellent pour farcir volailles, artichauts ou tomates.

FOIE DE VEAU SAUTÉ À LA MINUTE

6 tranche de foie.
Beurre : 60 grammes.
1 citron.
Fines herbes.

Taillez votre morceau de foie en petites lames, assaisonnez de poivre, sel, muscade; passez-les à la farine ; faites chauffer à la poêle un demi-quart de beurre, faites sauter très vivement vos petites tranches de veau ; mouillez avec un peu de jus ou de bouillon ; ajoutez un demi-jus de citron ou un filet de vinaigre ; saupoudrez de fines herbes et servez.

FOIE DE VEAU AUX OIGNONS

Foie de veau : 375 grammes.
Beurre : 60 grammes.
Oignons : 750 grammes.
Bouillon : 1/2 verre.
Sel, poivre.
Persil.

Prendre 375 grammes de foie de veau. Le couper en cubes de 3 centimètres de côté et faire revenir à feu vif dans 40 grammes de beurre. Lorsque tous les petits morceaux auront pris une belle teinte dorée, les enlever de la casserole ou du sautoir et les tenir au chaud. Emincer très finement un kilogramme d'oignons préalablement épluchés, remettre le sautoir au feu avec 20 grammes de beurre et tous les oignons. Faire partir à feu doux et, toujours tournant avec la cuiller de bois, faire fondre et dorer les oignons qui doivent se réduire peu à peu en purée. Ajouter poivre, sel, un bouquet garni, un demi-verre d'eau chaude ou, de préférence, de bouillon, et mélanger à cette purée d'oignons les morceaux de foie de veau. Couvrir hermétiquement casserole ou sautoir. Baisser le feu afin que la cuisson se termine très doucement. Il faut environ deux heures un quart de cuisson pour obtenir un plat onctueux. Servir très chaud, saupoudré de persil haché.

FRICANDEAU À L'OSEILLE

Noix de veau : 750 grammes.
Oseille : 1 kg. 125.
Épinards : 375 grammes.
Beurre : 40 grammes.
Farine : 12 grammes.
Oignons, carottes, ail.
Bouquet garni.
Sel, poivre.

Choisir un beau morceau de noix de veau. L'aplatir et le larder de petits lardons dans le sens de la viande, puis l'envelopper d'une barde de lard ou d'une épaisse toilette de veau. Le mettre à cuire dans une casserole, avec oignons, carottes coupés finement, une gousse d'ail (que l'on enlèvera avant de servir), et un bouquet garni, sel, poivre. Mouiller avec du bouillon jusqu'à mi-hauteur et couvrir hermétiquement. Laisser cuire trois heures. Pendant ce temps, faire cuire à grande eau salée 2 livres un quart d'oseille nouvelle et 375 grammes d'épinards après les avoir très soigneusement lavés. A la fin de la cuisson, ce qui demandera vingt minutes environ, égoutter les herbes, les hacher grossièrement et les passer au tamis. Puis, dans une casserole, mettre un bon morceau de beurre, une pleine cuillerée de farine. Mouiller de très peu d'eau, et, dans cette crème épaisse, incorporer la purée d'herbes. Laisser mijoter. La cuisson d'eau terminée, enlever les bardes de lard, passer et tamiser tout l'assaisonnement. Faire réduire la sauce à feu vif. Dans celle-ci, faire prendre couleur à la noix de veau. L'enlever de la casserole et la tenir au chaud. Reprendre les légumes (oseille et épinards), leur ajouter le jus de cuisson du fricandeau. Bien incorporer, puis verser cette purée d'herbes dans un plat creux et poser au milieu le morceau de noix de veau. Servir très chaud.

GÂTEAU DE ROGNON DE VEAU

Rognon : 1 kilogramme.
Lait.
8 œufs.
Beurre : 150 grammes.
Sauce aux truffes.

Préparez une farce avec un bon morceau de mie de pain bouillie dans du lait et un beau rognon de veau, en pilant le tout ensemble dans un mortier. Ajoutez 8 jaunes d'œufs, 100 grammes de beurre bien frais, sel, poivre, muscade. Faites cuire un quart d'heure, au four, cette préparation, dans une casserole beurrée avec du beurre fondu, après y avoir incorporé tous vos blancs d'œufs battus en neige. Dressez ensuite sur un plat rond et servez avec une sauce aux truffes ou une sauce piquante.

NOIX DE VEAU À LA BOURGEOISE

Noix de veau : 0 kg. 500.
Lard, légumes.
Vin blanc.
Beurre : 50 grammes.

Prendre 500 grammes de noix de veau, la piquer de lard et la placer dans une casserole que l'on aura au préalable beurrée et foncée de lard, ainsi que de parures de veau. Ajouter un demi-verre de bon consommé, un bouquet de persil, de la ciboule, quelques oignons et quelques carottes. Placer le tout sur un rond de papier beurré. Faire partir, puis couvrir et mettre feu dessus, feu dessous. Laisser cuire. Quand la noix sera cuite, l'égoutter et la glacer. Passer le fond de cuisson, le faire réduire et, quand il est tombé à glace, y ajouter un petit roux mouillé avec du vin blanc et autant de bon bouillon. Bien détacher la sauce de la casserole, la dégraisser, la lier avec du beurre et verser sur la noix.

NOIX DE VEAU AUX POINTES D'ASPERGES

Noix de veau : 560 grammes.
Asperges vertes : 375 gr.
Beurre : 75 grammes.
9 petits oignons.
1 gousse d'ail.
Bouquet garni.
Sel, poivre.
Vin blanc : 1/2 verre.

Prendre un beau morceau de noix de veau. Le parer et le mettre à revenir dans un faitout. Avec 75 grammes de beurre, mettre autour de la viande, en même temps, 9 petits oignons, une toute petite gousse d'ail, que l'on enlèvera à la fin de la cuisson, un bouquet garni ; saler et poivrer, couvrir le faitout et faire cuire à feu doux. A moitié de la cuisson, mouiller avec un demi-verre de vin blanc sec préalablement chauffé. Pendant ce temps, faire blanchir, après les avoir ratissées et lavées, des asperges vertes de préférence. Lorsqu'elles cèdent sous le doigt, les égoutter et les couper en commençant par la tête, en morceaux égaux de 3 centimètres, jusqu'à la partie dure de l'asperge. Puis, la noix de veau étant à la fin de sa cuisson, jeter dans le jus les pointes d'asperges froides qui réchaufferont durant dix minutes. Servir très chaud le rôti et sa garniture d'asperges.

PAPILLOTE DE VEAU

Rouelle de veau : 375 gr.
Chair à saucisse : 95 gr.
Lard de poitrine : 45 gr.
Beurre : 40 grammes.
Champignons : 95 grammes.
Mie de pain.
Lait : 3/4 de verre.
Bouillon : 1 verre 1/2.

Choisir 375 grammes de rouelle de veau. Les découper en tranches minces. Faire un hachis avec des viandes de desserte auxquelles on ajoutera 95 grammes de chair à saucisse. Ajouter de la mie de pain trempée dans du lait, sel, poivre, oignon, persil haché. Mettre sur une planche à hacher la plus grande tranche de veau, garnir le milieu de farce, recouvrir d'une tranche de veau, puis de farce, puis d'une autre tranche de veau et ainsi de suite, en finissant par une tranche de veau. Si l'on ne peut pas rouler cette papillote, la coudre en réunissant les deux bords extérieurs de la viande de façon à former un chausson. Piquer d'une petite gousse d'ail que l'on enlèvera après cuisson. Faire roussir dans du beurre de gros lardons, y mettre la papillote qui doit dorer de tous côtés. Mouiller avec un verre et demi de bon bouillon afin d'obtenir un beau jus et laisser mijoter une heure et demie. Servir seule ou avec une garniture de champignons cuits à part au beurre et arroser de son jus cette papillote qui, froide, sera excellente avec une sauce mayonnaise.

PIEDS DE VEAU FARCIS

4 pieds de veau.
Farce.
1 œuf.
Beurre : 125 grammes.
Chapelure.

Faites cuire, dans une bonne daube, 4 pieds de veau bien parés. Fendez-les en long tout chauds, retirez les os et garnissez-les à l'intérieur avec une farce faite avec du veau, de la graisse de bœuf, persil haché, sel, poivre, épices. Reconstituez bien les pieds, roulez-les dans un blanc d'œuf non battu, puis dans la chapelure ; faites-les frire dans du beurre bien chaud et servez avec une sauce au jus piquante, ou une sauce moutarde, ou une sauce verte.

POITRINE DE VEAU FARCIE

Poitrine : 1 kilogramme.
Veau : 250 grammes.
3 œufs.
Vin blanc.
1 citron.
Divers.

Coupez le bout des os des côtes qui font partie de votre poitrine ; séparez la chair de dessus de celle de dessous pour y introduire la farce suivante. Hachez une demi-livre de rouelle de veau ou chair à saucisse, mêlez avec sel, gros poivre et muscade, persil et échalotes finement hachés, plus 3 jaunes d'œufs crus. Faites braiser sur bardes de lard, ajoutez carottes, oignons, clous de girofle et bouquet garni. Mouillez avec du bouillon, un verre de vin blanc ; laissez cuire trois heures à petit feu, puis faites un roux peu coloré que vous mouillez avec la cuisson de la poitrine ; faites réduire la sauce, ajoutez un peu de bon jus et du jus de citron.

QUEUES DE VEAU AUX CHOUX

3 queues de veau.
1 chou.
Lard : 250 grammes.
Légumes.

Ajoutez 3 ou 4 queues de veau bien nettoyées ; coupez-les en deux ou trois morceaux. D'autre part, faites blanchir un quart d'heure un chou moyen coupé en morceaux, avec une demi-livre de lard de poitrine, puis mettez le tout dans une marmite avec persil, ciboule, sel, poivre ; mouillez avec du bouillon de préférence et faites cuire à petit feu.

RIS DE VEAU AUX CHAMPIGNONS

Ris de veau : 375 grammes.
Champignons : 375 grammes.
Beurre : 40 grammes.
Farine : 25 grammes.
Croûtons frits.
Citron.

Faire d'abord tremper le ris dans de l'eau salée pendant une heure et demie environ en renouvelant l'eau deux fois. Puis, préparer un court-bouillon avec eau, vin blanc (3/4 de verre), une carotte, un bouquet garni, du sel, du poivre en grains, dans lequel on mettra blanchir le ris. Faire partir à froid et jeter quelques bouillons. Laisser refroidir dans l'eau de cuisson, puis nettoyer le ris, l'éplucher délicatement, le débarrasser de la pellicule et des déchets. Puis faire une sauce espagnole blonde au moyen d'une cuillerée et demie de farine que l'on fait dorer dans du beurre, mouiller avec 3/4 de verre d'eau additionnée de 3/4 d'un verre à madère de vin blanc, sel, poivre et bouquet garni. Lorsque la sauce sera bien liée, ajouter 375 grammes de champignons qui cuiront seuls pendant vingt minutes. Ajouter ensuite le ris, laisser cuire dix minutes et servir entouré de croûtons frits et de rondelles de citron.

ROUELLE DE VEAU ROULÉE

Rouelle : 1 kg. 125.
Épaule : 125 grammes.
Desserte.
Légumes.
Lard.
Beurre : 100 grammes.
Champignons : 125 grammes.

Découpez un kilogramme de rouelle en tranches très minces ; faites un hachis avec 250 grammes de porc frais et au moins autant de viandes de desserte ; ajoutez de la mie de pain trempée dans du lait, sel, poivre, oignon, ail et persil hachés ; couvrez la rouelle de cette farce, principalement dans le milieu ; roulez et ficelez, comme si c'était un gros saucisson. Mettez dans une casserole de gros lardons avec du beurre, faites-les bien roussir, mouillez avec du bon bouillon, afin d'obtenir un bon jus, et servez votre rouelle avec une garniture de champignons.

TÊTE DE VEAU EN TORTUE

Restes.
Champignons : 125 grammes.
Crêtes et rognons.
Ris de veau.
Madère.
Quenelles.
3 œufs.
6 écrevisses.

Prenez ce qui reste d'une tête de veau cuite la veille ; passez au beurre des champignons, des crêtes et rognons de coq, des ris de veau. Ajoutez un peu de farine, mouillez avec du bouillon et un ou 2 verres de madère ou de bon vin blanc sec ; salez, poivrez, épicez, faites cuire et réduire votre sauce ; vers la fin, ajoutez des quenelles de veau, cornichons, jaunes d'œufs durs entiers dont les blancs sont coupés par morceaux. Lorsque votre sauce est à point et bien liée, versez-la sur vos morceaux de tête de veau coupés régulièrement, tenez au chaud, sans bouillir, et, au moment de servir, décorez avec quelques écrevisses.

VEAU À LA MARENGO

Épaule : 0 kg. 500.
Huile d'olive.
Tomates, oignons, etc.
Beurre : 60 grammes.
Vin blanc.

Prendre 500 grammes d'épaule de veau. Mettre, dans une casserole, une demi-cuillerée d'huile d'olive et un tout petit peu de bon beurre. Faire chauffer. Ajouter les morceaux de veau et faire revenir à feu vif. Assaisonner et quand les morceaux auront pris belle couleur, disséminer dans la casserole une bonne poignée d'oignon haché, une gousse d'ail et un bouquet garni. Laisser cuire cinq minutes, mouiller avec un demi-verre de vin blanc et faire réduire. Ajouter du bouillon ou du jus, couvrir et laisser cuire à petit feu en tenant la sauce courte. Quelques minutes avant de servir retirer le bouquet et l'ail, ajouter une pincée de cayenne et quelques cuillerées de sauce tomate. Laisser achever la cuisson et servir bien chaud.

VEAU RÔTI À LA CASSEROLE

Noix de veau : 0 kg. 750.
Beurre : 20 grammes.
Lard de poitrine : 45 grammes.
5 petits oignons.
1 petite gousse d'ail.
Sel, poivre.

Choisir 750 grammes de noix de veau. Le mettre dans une cocotte, ou un faitout d'aluminium, avec un morceau de beurre, un peu de lard de poitrine coupé en dés, quelques petits oignons, faire dorer à feu moyen le rôti sur toutes ses faces en couvrant le récipient. Saler, poivrer et, lorsque tout aura pris belle couleur, ajouter une très petite gousse d'ail que l'on enlèvera au moment de servir, un demi-verre d'eau chaude, et fermer la casserole hermétiquement. Laisser cuire une heure et demie à feu très doux en retournant le rôti à moitié de la cuisson. Débrider et servir avec la sauce que l'on aura passée. Présenter, à côté, une jardinière de légumes.

Volaille et Gibier

Canard à la chipolata.
Canard aux navets.
Canard aux olives.
Civet de lièvre.
Coq au vin.
Confit d'oie à la toulousaine.
Dinde braisée au jus.
Dinde farcie.
Dindon à la royale.
Dindonneau rôti.
Desserte de faisan à l'espagnole.
Faisan farci à la broche.
Faisan rôti.
Filets de grives en canapé à la marseillaise.
Filets de sarcelle aux anchois.
Foie gras poché au porto.
Gélinotte rôtie.
Gigot de chevreuil.
Grives à la paysanne.
Grives rôties.
Oie rôtie farcie de marrons.
Pâté de perdreau à la Demidoff.
Perdreau rôti.
Perdrix à l'estouffade.
Perdrix aux choux.
Perdrix aux oranges.
Pigeon aux olives.
Pintade braisée.
Pintade rôtie.
Poularde ou poule au riz.
Poularde à la marseillaise.
Poulet en capilotade.
Poulet sauté à la bourgeoise.
Terrine de foie gras.

CANARD À LA CHIPOLATA

Un canard.
Chipolata : 200 grammes.
Beurre : 75 grammes.
Champignons : 100 grammes.
1 barde de lard.
Oignons, carottes.
Bouquet garni.
Sel, poivre.
Vin blanc : 3/4 de verre.
Bouillon : 1/2 verre.

Plumer, vider et flamber le canard (pour 3 personnes). Le brider avec une barde de lard, puis le mettre à revenir dans du beurre avec quelques oignons, une carotte coupée et un bouquet garni. Lorsqu'il aura pris belle couleur, saler et poivrer. Laisser cuire doucement à petit feu et à découvert, puis mouiller de 3/4 d'un verre de vin blanc chaud. Laisser réduire le jus de cuisson, ajouter un peu de glace de viande, ou un demi-verre de bon bouillon. Quand le canard sera aux trois quarts de sa cuisson, le retirer, passer et dégraisser la sauce, ajouter 2 petits oignons glacés, 100 grammes de champignons à moitié cuits au beurre, 100 gr. de lard maigre coupés en dés et revenu à la poêle. Remettre le canard dans cet assaisonnement et l'y laisser mijoter douze minutes. Cinq minutes avant de servir, faire frire dans du beurre, 200 grammes de saucisses chipolata. Dresser le canard débridé sur un plat creux chaud et disposer autour les saucisses alternant avec des croûtons frits, masquer le tout avec la sauce.

CANARD AUX NAVETS

Un canard.
Beurre : 40 grammes.
Farine : 12 grammes.
Chair à saucisse : 45 grammes.
Bouillon : 1 verre 1/2.
1 botte de navets.
Sel, poivre.

Plumer, vider et flamber un canard pour 3 personnes. Le farcir avec le foie, le gésier, une boule de mie de pain, le tout finement haché, mélangé à 45 grammes de chair à saucisse, saler et poivrer, coudre le canard et le brider. Le faire revenir dans une cocotte, avec du beurre, de façon qu'il prenne bonne couleur. L'ôter et, dans cette même casserole, ajouter 750 grammes de navets nouveaux que l'on fera dorer en les saupoudrant d'une cuillerée et demie de sucre en poudre et d'une cuillerée de farine.

Lorsque les navets auront pris belle couleur, les mouiller avec un verre et demi de bouillon, saler, poivrer, un bouquet garni, laisser bouillir et remettre le canard. Fermer hermétiquement et laisser cuire à feu très doux une heure et demie. Servir le canard après l'avoir débridé au milieu de sa garniture de navets.

CANARD AUX OLIVES

Canard.
Olives : 200 grammes.
Beurre : 40 grammes.
Farine : 25 grammes.
Bouillon : 3/4 de verre.
Oignons, clous de girofle.
Bouquet garni.
Sel, poivre.

Choisir un petit canard. Le plumer, le vider et le flamber. Le farcir ensuite avec une farce faite avec son foie, gésier, cœur, persil finement hachés et mêlés à de la mie de pain. Le faire revenir au beurre de belle couleur et le retirer de la casserole. Mélanger de la farine au beurre de friture et faire un roux. Mouiller avec du bouillon. Après quatre minutes d'ébullition, passer la sauce et remettre sur le feu avec le canard.

Assaisonner de sel, poivre, bouquet garni et oignon piqué de girofle. Laisser mijoter pendant trois quarts d'heure. Oter les noyaux de 200 grammes d'olives en les épluchant en spirales, les blanchir et les mettre à cet effet pendant huit minutes dans l'eau bouillante. Les égoutter sur un linge et les laisser bouillir dans la sauce avec le canard pendant huit autres minutes. Débrider le canard, le dresser sur un plat et le recouvrir des olives avec la sauce dégraissée.

CIVET DE LIÈVRE

Lièvre : 2 kg. 250.
Beurre : 40 grammes.
Farine : 35 grammes.
Lard poitrine : 95 grammes.
Champignons : 95 grammes.
Vin rouge : 0 l. 375.
Eau : 3/4 verre.
9 petits oignons.
Bouquet garni.
Sel, poivre.
Croûtons frits.

Dépouiller et vider un lièvre de 2 kg.250. Réserver foie et sang s'il y en a. Couper le lièvre en tronçons à peu près égaux. Préparer alors une sauce civet de la façon suivante : mettre, dans un grand sautoir, 40 grammes de beurre et 95 grammes de lard de poitrine fumé, coupé en petits dés, qui roussiront sur le feu vif. Ajouter 9 petits oignons et lorsque le tout aura pris belle couleur, 2 cuillerées de farine. Quand celle-ci sera à son tour roussie, ajouter la valeur de 0 l. 375 de vin rouge et 3/4 d'un verre d'eau, un bouquet garni, du sel et du poivre. Laisser bouillir 20 à 25 minutes. Y plonger alors les morceaux de lièvre en donnant un feu plus vif pour que la sauce ne cesse pas de bouillir, y mettre à cuire le foie et fermer hermétiquement le sautoir. Ce foie n'y cuira que 10 minutes environ. Régler le feu très doux et laisser cuire deux heures un quart. Entre-temps passer le foie au tamis et le mélanger au sang. Trois quarts d'heure avant de servir, ajouter au civet des champignons passés au beurre, et, huit minutes avant la fin de la cuisson, le foie pilé qui épaissira la sauce. Servir avec une garniture de croûtons frits.

COQ AU VIN

Un coq : 1 kg. 125.
Beurre : 95 grammes.
Lard de poitrine : 45 gr.
Farine : 25 grammes.
9 petits oignons.
Bouillon : 3/4 de verre.
Vin rouge supérieur : 3/4 de verre.
Bouquet garni.
Sel, poivre.

Saigner le coq et en réserver le sang que l'on fait couler dans un bol contenant un filet de vinaigre. Après avoir plumé et vidé la volaille, la découper en morceaux et réserver le foie. Mettre, dans un sautoir, 95 grammes de beurre et 45 grammes de lard de poitrine coupé en dés, quelques petits oignons et tous les morceaux du coq. Faire dorer à feu moyen. Pendant ce temps, faire roussir dans une autre casserole, dans 20 grammes de beurre, une cuillerée et demie de farine, mouiller avec 3/4 d'un verre de bouillon et 3/4 d'un verre de très bon vin rouge. Laisser bouillir, puis, les morceaux du coq étant dorés, les arroser de cette sauce. Ajouter sel, poivre, un bouquet garni, le foie – que l'on retirera au bout de douze minutes – et laisser achever la cuisson. Piler le foie lorsqu'il sera cuit, le joindre au sang déjà gardé et incorporer le tout au coq cinq minutes avant de servir, en laissant faire quelques bouillons.

CONFIT D'OIE À LA TOULOUSAINE

(Recette de conserve ménagère)

Après avoir coupé les abatis de l'oie, découpez-la en morceaux que vous salez avec du sel fin et rangez dans une terrine ou jarre où on les laisse jusqu'au lendemain. Il faut avoir eu soin, en découpant l'oie, de retirer toute la graisse que l'on met fondre à part sur le feu, dans une grande casserole. Lorsque la graisse est fondue, on dispose dans la casserole les morceaux d'oie lavés et essuyés, où ils cuiront doucement trois heures. On retire alors du feu et, lorsque la graisse qu'on a légèrement salée est tiède, on en verse une partie dans un pot ou jarre vernissés, à hauteur de 4 à 5 centimètres, et, quand elle est figée, on y range les morceaux d'oie cuits et on les recouvre de graisse passée au tamis complètement. Quand le confit d'oie est *bien refroidi,* on couvre les pots et on les tient au sec.

DINDE BRAISÉE AU JUS

Dinde : 1 kg. 500.
Lard poitrine : 95 grammes.
Beurre : 40 grammes.
2 carottes, 2 oignons.
Bouillon : 0 l. 375.
Madère : 1/2 verre.
Sel, poivre.
Bouquet garni.

Choisir une dinde de 1 kg. 500. La plumer, la vider, la flamber et, avant de la brider, lui enlever les ailerons, le cou, les pattes, que l'on réservera ainsi que le foie et le gésier.

Foncer une grande cocotte avec des tranches de lard de poitrine, du beurre et y faire revenir la dinde jusqu'à ce qu'elle ait pris une belle couleur, saler, poivrer et la mouiller de 0 l. 375 de bouillon chaud et d'un verre et demi à bordeaux de madère également chaud. Ajouter un bouquet garni, 2 belles carottes et 2 oignons coupés en rouelles. Laisser cuire couvert et à feu doux pendant une heure et demie en retournant la dinde au milieu de la cuisson. Lorsqu'elle sera cuite, la retirer et la dresser sur un plat après l'avoir débridée. La tenir au chaud. Pendant ce temps, dégraisser le jus de la cuisson, après l'avoir passé. Le corser d'un peu de glace de viande. Servir la dinde et la sauce à part. Ce mets sera excellent, accompagné d'une purée de marrons.

DINDE FARCIE

1 dinde.
200 gr. de chair à saucisse.
1/2 de litre de marrons.
Lard.

Prendre 200 grammes de chair à saucisse, un demi-litre de marrons grillés et épluchés. Mélanger le tout avec sel et échalote finement ciselée. Garnir l'intérieur de la dinde avec cette préparation. La coudre et la débrider. Faire cuire à la broche ou au four pendant une heure environ en arrosant de temps en temps. Quand elle sera cuite à point, la dresser débridée sur un plat et servir à part, le jus ayant été préalablement dégraissé.

DINDON À LA ROYALE

1 dindon.
Lard.
1/2 bouteille de malaga.
Beurre : 50 grammes.

Avec du lard fin, piquer l'estomac du dindon. Le faire revenir dans du beurre. Puis ajouter une demi-bouteille de malaga, sel, poivre, bouquet garni, du jus, un peu de bouillon. Attendre que le dindon soit cuit à point. Le dresser alors sur un plat. Faire bien réduire la sauce, la lier si cela est nécessaire avec une petite pincée de fécule de pomme de terre et verser sur la pièce.

DINDONNEAU RÔTI

1 dindonneau.
Beurre : 65 grammes.
Lard.
Salade.

Trousser, flamber et barder de lard un jeune dindonneau que l'on mettra de préférence à la broche. L'arroser fréquemment avec son jus et du beurre. Le laisser cuire environ trois quarts d'heure, dégraisser le jus et servir dessus. On accompagnera ce rôti d'une salade de cœurs de laitues dans laquelle, au fond du saladier, le foie du dindonneau aura été écrasé finement. On mettra très peu d'huile pour assaisonner cette salade. L'huile pourra même être remplacée par un peu de jus du rôti. Avant de servir, bien retourner le dindonneau.

DESSERTE DE FAISAN À L'ESPAGNOLE

Restes. Beurre : 125 grammes. 1 citron.

Découpez les morceaux qui vous restent de un ou plusieurs faisans rôtis ; mettez à part les bons morceaux et, avec les carcasses, faites un fumet de gibier que vous passez et liez avec les petits déchets de chair maigre hachés. Retirez votre sauce hors du feu, donner-lui du corps avec des petits morceaux de beurre et, si l'on veut, le jus d'un citron. Dressez vos bons morceaux de faisan et arrosez de cette sauce.

FAISAN FARCI À LA BROCHE

1 faisan. Lard.

Farcissez votre faisan avec son foie haché, du lard râpé, persil et ciboule hachés, sel, gros poivre, le tout bien mélangé. Cousez l'ouverture : enveloppez le faisan de bardes de lard et de papier beurré et faites-le rôtir. On le sert avec une sauce poivrade ou toute autre assez relevée.

FAISAN RÔTI

1 faisan. Cresson. 1 citron.
Lard. Madère.

Prendre un jeune faisan tué depuis quelques jours. Piquer de lard frais et ferme les cuisses et l'estomac. Le trousser de façon qu'il bombe et ait de l'œil. Saler l'intérieur et le faire cuire à bon feu en l'arrosant souvent pendant la cuisson. Quand le faisan sera cuit, le dresser sur une large tartine de pain imbibée de jus, avec un demi-verre de madère ou de cognac brûlé et un peu de beurre avec du jus de citron. L'entourer de cresson. Avec de petites chevilles de bois ou de fil de fer, le parer de ses ailes, de son cou, de sa queue et garnir les vides avec des quartiers de citron.

FILETS DE GRIVES EN CANAPÉ À LA MARSEILLAISE

8 grives.	Lard.	1 verre de vin.
1 truffe.	Jambon : 100 grammes.	Légumes.

Les grives rôties, enlever les ailes avec les filets. Piler fin une truffe, du lard, le foie des grives, du poivre, un peu de muscade. Etendre cette farce sur des croûtons ou canapés dorés à l'huile ou à la graisse et mettre ces tartines cinq minutes au four. D'autre part, piler les carcasses, têtes et cuisses, et en faire une sorte de salmis en mêlant la purée, passée au tamis, avec une sauce composée de gras de jambon, carotte, oignons, laurier, thym, ail, vin rouge, bouillon et un peu de farine. Bouillir ensemble trois quarts d'heure en remuant et passer ensuite au tamis. Faites réchauffer les filets dans ce salmis, les dresser en couronne sur les canapés et les entourer de la sauce.

FILETS DE SARCELLE AUX ANCHOIS

1 sarcelle.
2 anchois.
30 grammes de parmesan.
1 citron.
Beurre.

Prendre une sarcelle jeune. La faire cuire à la broche. En enlever le filet et disposer celui-ci sur un plat légèrement beurré, saupoudré de parmesan râpé. Ajouter le filet des anchois, arroser de consommé et saupoudrer de mie de pain ainsi que de parmesan. Placer le plat sur de la cendre chaude. Le couvrir d'un four de campagne et arroser d'un jus de citron au moment de servir.

FOIE GRAS POCHÉ AU PORTO

Foie gras : 375 grammes.
Porto : 0 l.200.
1 truffe.
Gelée de viande : 0 l.200.
Sel, poivre.

Prendre des foies gras de Strasbourg, les fendre pour en ôter les fibres, les nerfs, le fiel et enlever la graisse s'il y en a. Les mettre ensuite dans un récipient allant au four et pouvant lui-même être contenu par un autre récipient plein d'eau, de façon que les foies cuisent au bain-marie. Saler et poivrer les foies un peu fortement et les recouvrir de porto. Couvrir le récipient contenant les foies avec une soucoupe remplie d'eau. Mettre celui-ci dans le plus grand et le tout au four. Faire cuire lentement pendant une heure et demie. Servir ce foie gras en le dressant sur un plat et en l'ornant de minces tranches de truffes. Le glacer ensuite en faisant couler sur toute sa surface de la gelée de viande chaude, mais non bouillante.

GÉLINOTTE RÔTIE

Après avoir bardé de lard une gélinotte bien à point, l'envelopper de feuilles de vigne et la faire rôtir au feu de bois de préférence. Quand elle sera bien dorée, la dresser sur un plat chaud, l'arroser d'un peu de jus de citron. Cela développera l'arôme particulier de la gélinotte.

GIGOT DE CHEVREUIL

Gigot de chevreuil : 1 kg. 125.
Beurre : 40 grammes.
Lard gras : 95 grammes.
Marinade cuite : 0 l. 375.
Purée de marrons : 375 gr.
Sauce grand veneur : 3/4 de verre.

Dépouiller le gigot, faire le manche, réserver la patte. Piquer régulièrement de lardons le gigot et le faire mariner pendant deux jours dans une marinade cuite.

Avant de faire cuire le gigot, le laisser égoutter hors de la marinade pendant vingt à vingt-cinq minutes, puis le mettre à four vif après l'avoir légèrement tartiné de beurre et en mettant au fond de la lèchefrite un peu de bouillon. Arroser souvent. Pour servir, ajouter la patte du chevreuil au manche et masquer la jonction par un bracelet de ruban. Entourer le plat de demi-rondelles de citron. Servir à part une purée de marrons, le jus dans une saucière, ou encore une sauce grand veneur.

GRIVES À LA PAYSANNE

3 grives.
Lard.
Beurre.
1 citron.

Les grives seront plumées, épluchées et troussées. Les embrocher ensuite avec un petit hâtelet. Les attacher sur une broche et les mettre au feu. Envelopper de papier un morceau de lard, le placer au bout d'une brochette, y mettre le feu et faire tomber sur les grives le lard en flammes. Saupoudrer ensuite les grives de sel et les paner avec de la mie de pain. Hacher quelques échalotes, les mettre dans un plat avec du sel, du poivre et un peu de jus, un morceau de beurre, du jus de citron ; placer les grives par-dessus et servir chaud.

GRIVES RÔTIES

3 grives grasses.
Lard.
1 citron.
Beurre.

Plumer et blanchir 3 grives grasses. Les envelopper, sans les vider, d'une feuille de vigne ou d'une feuille blanche de céleri. Barder par-dessus et fixer à la broche à l'aide d'une brochette. Placer dans la lèchefrite une tranche de pain grillé avec un peu de beurre dessus et, après cuisson, servir les grives sur des croûtes de pain. On pourra ajouter du jus de citron et un peu de poivre blanc.

OIE RÔTIE FARCIE DE MARRONS

1 oie grasse.
Marrons : 250 grammes.
1 citron.

Choisir une oie grasse pour 3 personnes. La vider. Faire une farce du foie, de lard haché menu, fines herbes, sel, poivre, muscade et de marrons rôtis soigneusement épluchés. Remplir l'oie de cette farce, la trousser et la mettre cuire à la broche en ayant soin de l'arroser souvent. Servir après cuisson avec le jus assaisonné de sel, poivre et d'un jus de citron.

PÂTÉ DE PERDREAU À LA DEMIDOFF

1 perdreau.
Chipolata : 125 grammes.
Poitrine : 125 grammes.
Truffes.
Champignons : 200 grammes.
Croûte.
Beurre.

Faites ou faites faire par votre boulanger une caisse ronde à pâté, en bonne pâte brisée, ou en feuilletage. Au moment de servir, remplissez-la, par couche, alternativement d'un ragoût de perdreaux, chipolata ou saucisses, poitrine et champignons, qui sera cuit à point et bien chaud. Saucez immédiatement avec une bonne sauce Périgueux, dont vous servirez le reste dans une saucière.

PERDREAU RÔTI

Le perdreau rôti, piqué ou lardé, est un morceau délicieux, surtout lorsque la bienfaisante enveloppe d'une feuille de vigne le concentre en lui-même et ne laisse échapper aucune de ses parties volatiles. Il est important de saisir le point de cuisson qui exige de douze à quinze minutes, car un perdreau trop cuit n'a plus de saveur. On le sert entouré de demi-citrons et le jus à part.

Comment on le découpe.

On découpe le perdreau en détachant successivement les deux cuisses et en séparant l'estomac tout entier de façon à pouvoir le couper en trois parties, sur la longueur, ce qui fait cinq morceaux en tout ; soit en le divisant en quatre parties, comme le pigeonneau, mais dans l'intimité seulement. On offre la cuisse, de préférence à l'aile, aux vrais gourmets.

PERDRIX À L'ESTOUFFADE

1 perdrix. Lard. Légumes.

Vider, flamber et trousser une perdrix. La piquer ensuite de lardons assaisonnés. Mettre ensuite dans une casserole avec des oignons, des carottes, des bardes de lard, un bouquet garni, du bouillon et du vin blanc. Faire cuire à feu doux et servir avec le fond de cuisson dégraissé, réduit, passé au tamis, dans lequel on pourra ajouter un peu de jus de viande.

PERDRIX AUX CHOUX

1 perdrix.
1 chou.
30 grammes de beurre.
125 grammes de petit salé.
1/2 saucisson.
65 grammes de chipolata.

Trousser une perdrix. La faire ensuite légèrement roussir dans une casserole avec du beurre et un peu de farine. Mouiller de 2 verres de bouillon. Ajouter un bouquet garni, 65 grammes de lard. Faire cuire à part un chou de Milan avec 125 grammes de petit salé. Quand le chou sera presque cuit, le retirer, le faire égoutter et achever de le cuire avec la perdrix dans la casserole. Au moment de servir, poser la perdrix sur un plat. Couper le chou avec des rouelles de cervelas, des saucisses à la chipolata, des tranches de petit lard et verser sur le tout le fond de cuisson que l'on aura fait réduire et auquel un peu de jus pourra être ajouté.

PERDRIX AUX ORANGES

2 perdrix. Beurre : 125 grammes. 3 oranges.

Troussez et flambez 2 perdrix ; faites-les revenir, sans les barder, dans du bon beurre. Lorsqu'elles ont belle couleur, couvrez la casserole avec du papier beurré, afin qu'elle ferme bien ; cuisez à petit feu. A parfaite cuisson, retirez les perdrix et tenez-les au chaud. Dans le jus de la cuisson, tamisé, mettez fondre, sans bouillir, un morceau de beurre ; exprimer le jus de 2 oranges pas trop mûres et râpez un peu de zeste de citron, en tournant tout le temps sur feu doux ; liez la sauce, dressez vos perdrix sur un plat garni de quartiers d'oranges sans pépins, avec croûtons alternés, et versez la sauce sur le gibier.

PIGEON AUX OLIVES

1 pigeon.
65 grammes de beurre.
250 grammes d'olives.
Vin blanc.

Couper en quatre un pigeon et le faire revenir dans du beurre. Préparer, d'autre part, un roux mouillé de bon jus et de bouillon. On y aura fait cuire pendant huit minutes 150 grammes d'olives dénoyautées. Ajouter à ce moment les quartiers de pigeon revenus au beurre, mouiller le tout avec un verre de vin blanc et achever de cuire pendant quinze minutes. Placer ensuite le pigeon sur un plat chaud, lier vivement la sauce avec du beurre manié de persil et d'estragon haché et, sans laisser bouillir, verser sur les morceaux de pigeon dressés.

PINTADE BRAISÉE

1 pintade.
Foies divers.
Jambon : 30 grammes.
1 truffe.
Lard.

Prendre une pintade jeune, un peu grasse. La vider et la trousser. Préparer une farce avec un peu de foie de veau et quelques foies de volaille, 30 grammes de jambon et un peu de truffe. Assaisonner et garnir l'intérieur de la pintade. La piquer de lard fin et la cuire dans une casserole foncée de lard, avec des carottes, des oignons et du thym. Mouiller avec du bon vin blanc et faire réduire. Arroser encore de bouillon et faire achever la cuisson à très petit feu. Passer la sauce et servir très chaud.

PINTADE RÔTIE

1 pintade.
65 grammes de lard.
Cresson.

Prendre une petite pintade jeune un peu mortifiée. La plumer, la vider et supprimer la tête. La piquer de fins morceaux de lard ou, encore mieux, la barder après l'avoir beurrée. La faire rôtir à feu clair pendant tout le temps nécessaire et la tenir arrosée. Avant de retirer la pintade, enlever la barde de lard, faire prendre couleur et servir avec une garniture de cresson.

POULARDE OU POULE AU RIZ

1 poule ou poularde.
Riz : 185 grammes.
Beurre.

Vider, flamber et trousser une poule (pour 3 personnes), les pattes en dedans, la brider et la barder. Faire blanchir à l'avance 185 grammes de bon riz, l'égoutter et le mettre dans une casserole avec la poule dont on placera l'estomac en-dessous. Mouiller le tout avec du bon bouillon. Couvrir et laisser cuire doucement en remuant de temps en temps la casserole. A la fin de la cuisson, dégraisser la poule sur un plat, dégraisser le riz, ajouter un bon morceau de beurre, sel, poivre et en masquer la volaille. On pourra rendre le riz moins épais en ajoutant un peu plus de bouillon.

POULARDE À LA MARSEILLAISE

1 poularde.
Oignons.
1 anchois.
Beurre, câpres.

Bien flamber une poularde, la découper. Avoir 6 oignons blancs, quelques branches de persil, les couper en rondelles, faire un lit d'oignons dans une casserole, y disposer tous les morceaux de poularde. Recouvrir d'une dernière couche d'oignons et de persil, bien arroser d'huile d'olive, saler, poivrer, ajouter laurier, ail, muscade et faire cuire à très petit feu. Glacer la poularde, la dresser avec les oignons au milieu, finir avec une sauce au beurre d'anchois et aux câpres.

POULET EN CAPILOTADE

Poulet de desserte.
Lard maigre : 45 grammes.
Beurre : 20 grammes.
Bouillon : 1/3 de verre.
1 citron.
Sel, poivre.
Bouquet garni.
Croûtons frits.

Utilisation des restes d'un poulet. Couper en morceaux égaux les restes d'un poulet. Les mettre dans une casserole avec un bon morceau de beurre, 45 grammes de lard de poitrine maigre très finement coupé, sel, poivre, bouquet garni, fines herbes bien hachées. Faire sauter. Mouiller avec un peu de bouillon, faire la sauce courte. Après quelques minutes de cuisson, servir très chaud, arrosé d'un jus de citron, avec une garniture de croûtons frits au beurre.

POULET SAUTÉ À LA BOURGEOISE

Poulet : 750 grammes.
Champignons : 95 grammes.
Beurre : 40 grammes.
Farine : 12 grammes.
Bouillon : 3/4 de verre.
Vin blanc : 3/4 de verre.
3 œufs.
1 citron.
Sel, poivre.

Plumer, vider et flamber un poulet. Le découper en morceaux à peu près égaux et réserver le foie. Mettre, dans une casserole, 40 grammes de beurre, faire fondre à feu modéré et faire revenir dans ce beurre les morceaux de poulet à l'exception du foie. Tourner en tous sens les morceaux que l'on salera et poivrera. Au bout de dix minutes ajouter 95 grammes de champignons épluchés et lavés, saupoudrer le tout d'une cuillerée de farine, tourner encore afin qu'elle prenne couleur, puis mouiller avec 3/4 d'un verre de bouillon chaud et 3/4 d'un verre de vin blanc également chaud. Ajouter un bouquet garni et couvrir pour finir de cuire en ajoutant à ce moment seulement le foie. A la fin de la cuisson, dresser les morceaux du poulet sur un plat chaud. Battre vivement 3 jaunes d'œufs avec le jus d'un citron et y incorporer peu à peu la sauce pour la lier. Y ajouter le foie que l'on aura pilé et verser le tout sur le poulet. Glisser le plat au four, servir très chaud, mais sans avoir fait bouillir.

TERRINE DE FOIE GRAS

Porc frais (filet) : 95 grammes.
Lard gras : 110 grammes.
Foie gras : 375 grammes.
1 barde de lard.
Beurre : 20 grammes.
Fines herbes.
Échalotes.
Persil.
Sel, poivre.
2 belles truffes.

Prendre d'une part 95 grammes de porc frais bien blanc (filet) et 110 grammes de lard frais. Couper en morceaux, saler, poivrer et hacher le plus finement possible. Piler ensuite cette pâte dans une terrine ou un mortier. Avoir un beau foie gras de Strasbourg, l'ouvrir pour en enlever le fiel et les nerfs, puis le parer en gardant les déchets. L'assaisonner de sel et poivre un peu fortement et le piquer de 2 truffes pelées dont nous réserverons les pelures. Hacher alors les pelures des truffes avec les déchets du foie, faire revenir dans du beurre avec des fines herbes, du persil et des échalotes hachés. Laisser refroidir, puis piler au mortier et mélanger à la préparation de farce. Prendre alors la terrine. L'enduire tout autour à l'intérieur d'une couche de farce, puis placer le foie gras. Le recouvrir de farce de façon à remplir complètement la terrine. Terminer en recouvrant le tout d'une barde de lard. Faire cuire dans un four modéré jusqu'à complète clarification de la graisse. Après complet refroidissement, le lendemain, égaliser la surface de la terrine et y couler du saindoux fondu mais non bouilli. Lorsqu'il sera figé, mettre un papier d'étain et fermer le couvercle de la terrine. Servir avec une salade de saison.

VOCABULAIRE

Vocabulaire

des termes et ustensiles employés en cuisine.

Abaisse. – Pâte passée sous le rouleau et destinée à former le fond d'une tourte, d'un vol-au-vent, d'un pâté, etc.

Abaisser. – Passer le rouleau à pâtisserie sur une pâte, dans le but de l'étendre en surface et de l'amener à l'épaisseur voulue pour l'emploi auquel on la destine.

Abatis. – Extrémités que l'on supprime des volailles : pattes, ailerons, cou, etc.

Abats (ne pas confondre avec abatis). – Comprennent la tête, la langue, la cervelle, le cœur, le ris, le foie, les rognons, la fraise, les pieds, les amourettes, les tripes des animaux de boucherie.

Aiguiser. – Relever une sauce ou un ragoût en ajoutant un filet de vinaigre ou le jus d'un citron.

Amourette. – Moelle allongée des animaux de boucherie : bœuf, veau, mouton.

Appareil. – Mélange des produits de diverse nature qui entrent dans une préparation culinaire.

Aspic. – Entrée froide composée de filets de gibier, de volaille ou de poisson, auxquels on ajoute une garniture de crêtes de coq, de truffes, de cornichons, etc., que l'on dispose dans un moule et que l'on entoure complètement de gelée transparente.

Bain-marie. – Récipient rempli d'eau chaude dans lequel on dispose d'autres casseroles ou pots contenant des sauces, garnitures ou mets devant être réchauffés doucement ou tenus au chaud, sans bouillir.

Barde. – Tranche de lard gras, très mince, dans laquelle on enveloppe les pièces que l'on veut préserver du feu trop vif de la rôtissoire. Elle sert aussi à foncer les casseroles dans lesquelles on veut faire cuire lentement une pièce quelconque. On les tient un peu plus épaisses dans ce dernier cas et on les remplace même, parfois, par des couennes dont on tourne alors le côté externe du côté du fond.

Blanchir. – Opération qui consiste à plonger quelques minutes dans l'eau bouillante les légumes, fruits et viandes qu'on veut attendrir ou dont on veut enlever l'acidité. On blanchit ainsi les choux, les salsifis, les pieds de mouton, la tête de veau, etc.

Bleu. – Court-bouillon à l'eau et au sel, pour un poisson de mer ; court-bouillon au vin blanc, aromates, persil et oignons pour le poisson d'eau douce.

Bouquet. – Petit paquet de persil et de

ciboule liés ensemble avec du gros fil et qu'on met dans le pot-au-feu, les sauces et les ragoûts. Le *bouquet garni* est un bouquet plus volumineux, lié de la même façon, en comprenant persil, ciboule, thym, laurier, ail ou oignons piqués de clous de girofle, etc. Ces bouquets, qui doivent toujours être attachés très solidement, se retirent toujours, soit au moment de servir, soit quand on fait la *liaison.*

Braiser. – Cuire à l'étouffée dans une braisière.

Braisière ou daubière. – Ustensile de cuisine en fonte, cuivre étamé ou terre à feu, pourvu d'un couvercle fermant bien, dont les rebords permettent de disposer par dessus de la braise ou des cendres rouges. Les braisières en métal contiennent un faux fond mobile, percé de trous sur lesquels on dispose la pièce à braiser pour qu'elle n'attache pas au fond.

Chapelure. – Pain rassis râpé. La chapelure blonde est faite avec de la mie ; la chapelure brune, avec de la croûte.

Ciseler. – Faire des incisions en biais sur un poisson que l'on veut faire griller, afin qu'il ne se déchire pas de lui-même en cuisant.

Clarifier. – Rendre clair et transparent un liquide quelconque.

Concasser. – Piler grossièrement dans un mortier ou sur un objet dur.

Coulis. – Suc d'une substance obtenu par une cuisson très complète.

Daube. – Préparation de viandes, de gibier ou de volailles.

Débrider. – Enlever les fils ou les hâtelets qui ont servi à brider une pièce quelconque.

Dégorger. – Mettre à tremper les

viandes, les poissons dans l'eau froide pour les débarrasser du sang ou des impuretés qu'ils contiennent et les rendre plus blancs.

Desserte. – Restes d'un repas et, en général, mets entamés ou non qui ont figuré sur la table à un repas précédent.

Dorer. – Badigeonner le dessus d'une pièce de pâtisserie avec un pinceau ou une barbe de plume trempée dans des jaunes d'œufs battus.

Dresser. – Disposer les mets sur le plat de la manière la plus agréable à l'œil.

Echauder. – Plonger dans l'eau bouillante un animal dont on veut enlever rapidement le poil ou les plumes.

Emincer. – Couper en tranches minces de la viande ou des légumes.

Entrées. – Mets chauds le plus souvent, qui sont servis sur la table, immédiatement après le potage ou en même temps qu'une grosse pièce de rôti.

Entremets. – Mets qui se composent habituellement de légumes, pâtisserie légère, crèmes, gelées, et se servent en même temps que le rôti, avant le dessert.

Farces. – Hachis de volaille, de gibier, chair à saucisse, poisson, auquel on ajoute des légumes divers, des champignons, truffes, marrons, etc.

Farcir. – Garnir de farce le corps d'une volaille ou l'intérieur d'une pièce de viande roulée et bridée ensuite.

Flamber. – Brûler le duvet d'une volaille ou d'un gibier à plumes après l'avoir plumé.

Foncer. – Garnir le fond d'une casserole ou d'une braisière avec des bardes de lard, des couennes, du jambon, du veau en tranches, des rondelles d'oignons, etc.

Fontaine. – Creux formé au milieu d'un

tas de farine, dans lequel on verse ce qui est indiqué pour faire la pâte.

Fraiser. – Rouler de la pâte sous la paume de la main et petit à petit, afin de la rendre lisse, compacte et homogène.

Glace. – Jus de viande ou coulis très épais et très chargé en gélatine qui se réduit en gelée par le refroidissement.

Glacer. – Etendre de la glace de viande, au moyen d'un pinceau ou d'une barbe de plume, sur une pièce de viande, au moment de la servir. En pâtisserie, glacer, c'est saupoudrer de sucre fin et remettre au four pour que la glace se forme.

Gratiner. – Faire cuire un mets au four ou feu dessus et dessous, jusqu'à ce qu'il ait pris belle couleur dorée.

Hors-d'œuvre. – Mets destinés à exciter l'appétit, tels que : radis, concombres, olives, céleri-rave, huîtres, anchois, thon mariné, saucisson, etc.

Larder. – Passer des filets minces de lard gras ou de maigre de jambon à l'intérieur d'un morceau un peu trop épais.

Lardons. – Petits filets de lard de poitrine qui servent pour larder, pour faire frire et donner du goût à une sauce.

Lèchefrite. – Ustensile de cuisine en fer ou cuivre étamés que l'on place sous la broche pour recevoir le jus des rôtis.

Liaison. – Tout ce qui sert à donner de la consistance à une sauce ou à un potage : jaune d'œufs, farine, fécule, sang, etc.

Limoner. – Nettoyer avec le dos d'un couteau et enlever le limon qui recouvre certains poissons, après que ceux-ci ont été plongés dans l'eau bouillante.

Macération. – Opération qui consiste à mettre pendant un certain temps dans un liquide acide ou alcoolisé froid une substance dont on veut extraire les principes actifs.

Manier. – Amollir du beurre en le pétrissant entre les doigts.

Mariner. – Faire tremper pendant un temps plus ou moins long des viandes ou des poissons dans un assaisonnement préparatoire.

Masquer. – Couvrir d'une sauce épaisse un mets dressé sur un plat.

Mijoter. – Cuire lentement, doucement, un objet quelconque.

Mortifier. – Attendrir la viande en la battant et en la conservant au frais pendant quelques jours avant de la faire cuire.

Mouiller. – Ajouter de l'eau, du bouillon, un liquide quelconque pendant la cuisson, pour augmenter la quantité de sauce.

Paner. – Saupoudrer de mie de pain ou

de chapelure, après les avoir trempés dans l'œuf battu, des viandes, poissons, légumes, etc., que l'on veut faire cuire au four, sur le gril, en friture ou seulement gratiner.

Parer. – Donner à une pièce de viande une forme régulière après avoir supprimé les peaux, graisses et nerfs inutiles.

Passer. – Faire revenir la viande ou les légumes, pendant quelques minutes, dans le beurre, la graisse ou l'huile, pour les raffermir et leur faire prendre une belle couleur.

Paupiettes. – Tranches minces et larges, destinées à être roulées, que l'on découpe dans un morceau de boucherie.

Piquer. – Disposer sur la surface extérieure de la viande des lardons gras, carrés, dépassant de chaque côté.

Pocher. – On poche les œufs en les cassant avec précaution au-dessus d'une casserole qui renferme un liquide bouillant : eau, bouillon.

Quenelles. – Boulettes rondes ou allongées, faites avec des viandes hachées et pilées, mélangées ou non de mie de pain trempée dans le lait ou le bouillon.

Réduire. – Diminuer par un feu vif la quantité d'une sauce de façon à lui donner plus de consistance.

Revenir. – Faire revenir des viandes ou des légumes, c'est-à-dire les mettre à la casserole, à feu vif, avec du beurre, de la graisse ou de l'huile, jusqu'à ce qu'ils aient pris une belle couleur dorée.

Rissoler. – Faire revenir les viandes dans la casserole jusqu'à ce qu'elles aient pris une couleur roussâtre et soient devenues légèrement croquantes.

Roussir. – Faire chauffer du beurre dans

la casserole jusqu'à ce qu'il ait pris une coloration très bonne. On obtiendra un *roux* en ajoutant de la farine. Si l'on pousse davantage le beurre seul, on aura un *beurre noir.*

Tourner. – Donner aux légumes ou aux fruits, en les épluchant, une forme quelconque, régulière : poire, bouchon ou boule. Tourner les olives, c'est les débarrasser de leurs noyaux.

Trousser. – Assujettir, au moyen d'une ficelle, les cuisses et les ailes d'une volaille en les serrant contre le corps.

Truffer. – Garnir quelque temps à l'avance l'intérieur d'une volaille, d'un gibier ou d'une pièce quelconque, avec des truffes coupées en rondelles ou pilées, de façon à laisser au parfum le loisir de se développer entièrement.

Vanner. – Vanner une sauce, c'est l'élever avec une cuiller et la laisser ensuite retomber pour opérer entièrement le mélange de tout ce qui la compose.

Zeste. – Pellicule extérieure, très mince, de l'écorce des citrons et des oranges.

TABLE DES MATIÈRES

I. – BOISSONS ET LIQUEURS

II. – CONFITURES ET CONSERVES

III. – ENTREMETS ET PATISSERIES

IV. – HORS-D'ŒUVRE ET SALADES

V. – LÉGUMES ET PATES

V. – ŒUFS

VII. – POISSONS ET CRUSTACÉS

VIII. – POTAGES

IX. – SAUCES ET GARNITURES

X. – VIANDES

AGNEAU.

BŒUF.

MOUTON ET AGNEAU.

VOLAILLE ET GIBIER.